A-Z MILTON KEYNES

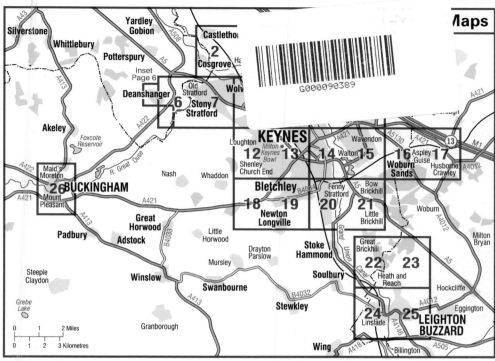

Maps

G000090389

Reference

Motorway	**M1**
A Road	**A509**
Under Construction	
B Road	**B4034**
Dual Carriageway	
One Way A Roads Traffic flow is indicated by a heavy line on the Drivers left.	
Rd. Identification No's Horizontal Roads :H1 Vertical Roads :V1	**H1**

Track	:=======
Footpath & Cycleway	
Residential Walkway	··········
Railway	Level Crossing Station
Built Up Area	COURT ST
Local Authority Bndy.	. — ▪ —
Posttown Boundary By arrangement with the Post Office	
Postcode Boundary Within Posttown	
Map Continuation	**10**

Ambulance Station	✚
Car Park	P
Church or Chapel	†
Fire Station	▪
Hospital	H
Information Centre	i
National Grid Reference	40
Police Station	▲
Post Office	★
Toilet With Facilities for the Disabled	▽

Scale   1:19,000
3.33 inches to 1 mile

| 0 | ¼ | ½ | ¾ Mile |
| 0 | 250 | 500 | 750 Metres | 1 Kilometre |

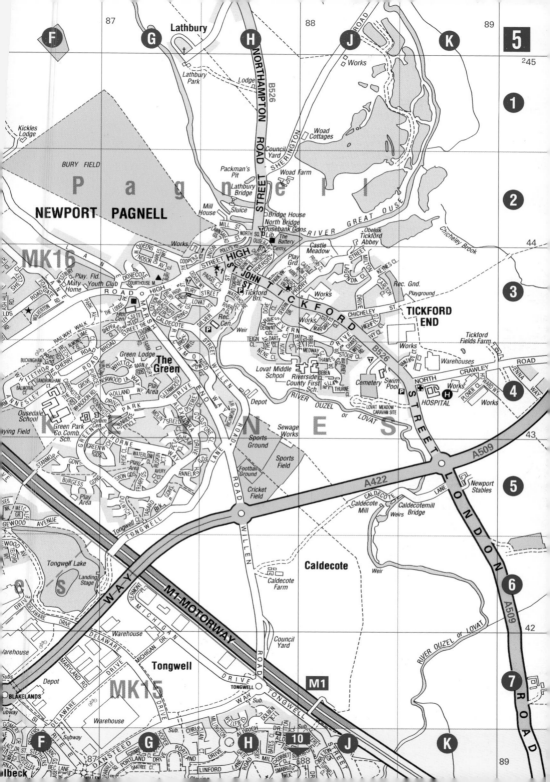

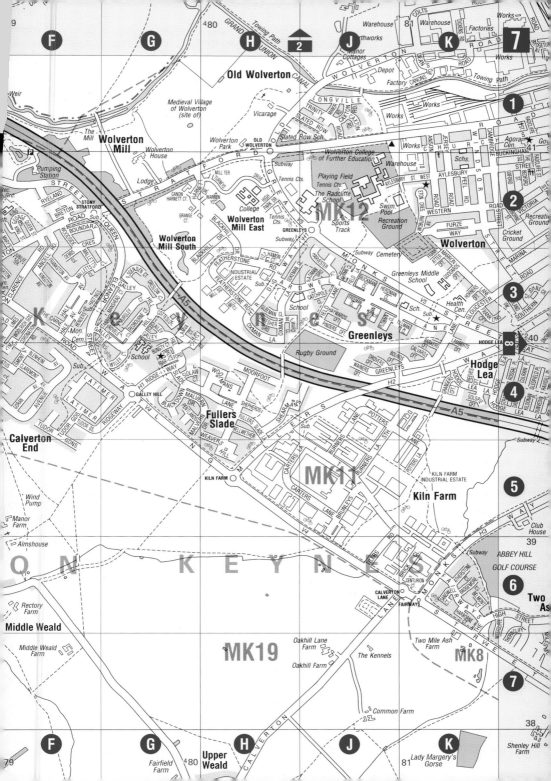

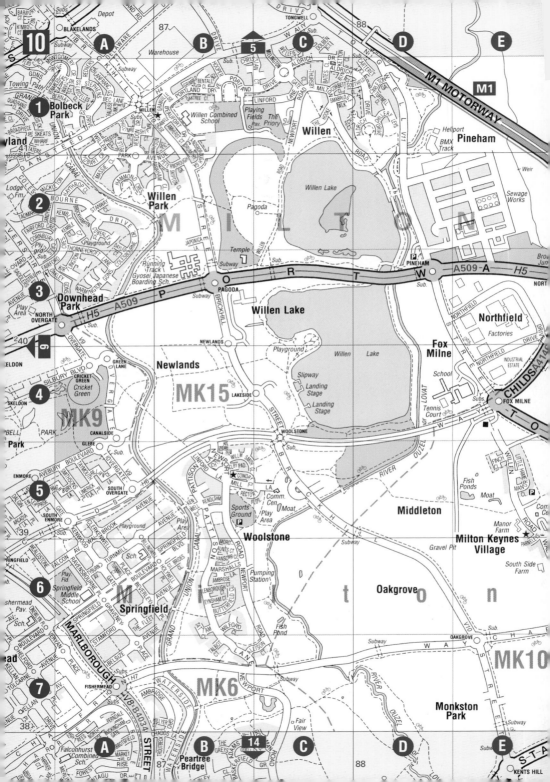

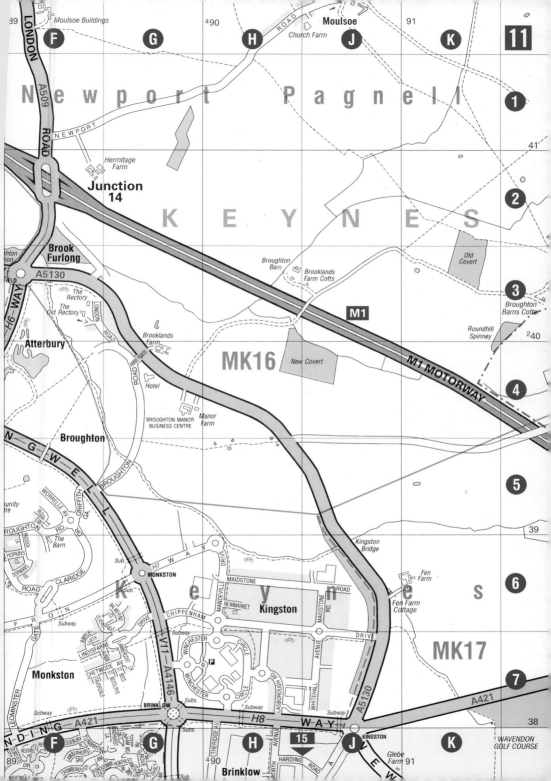

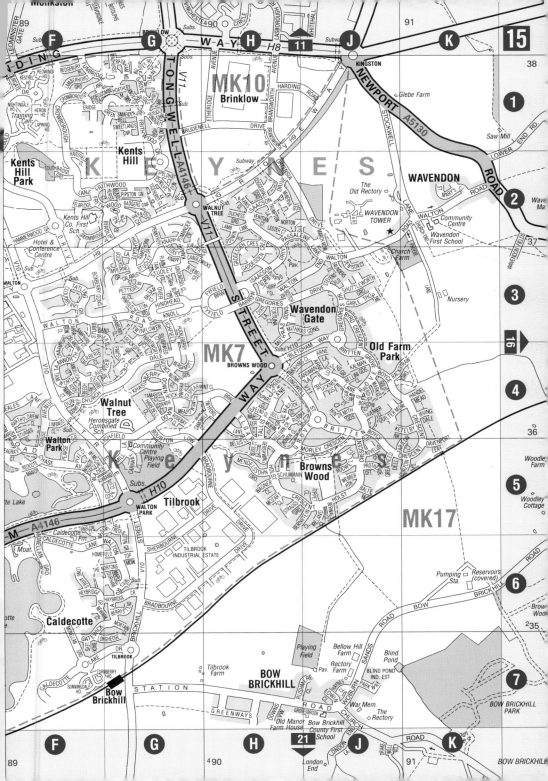

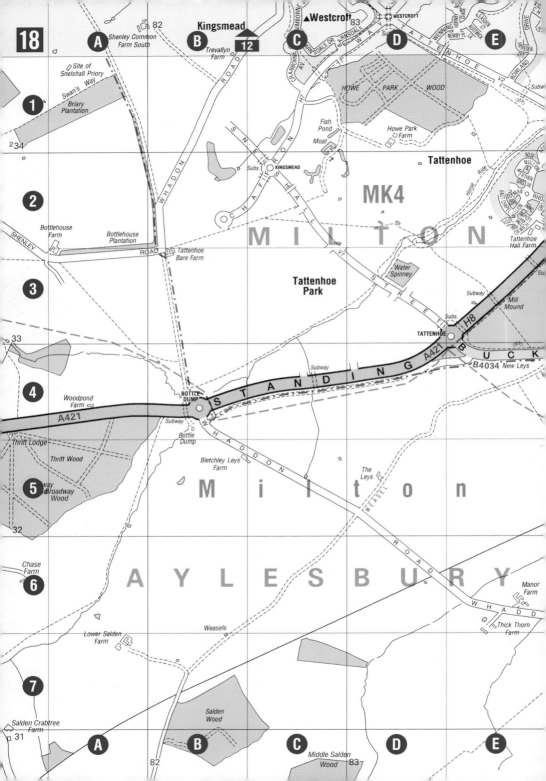

18

82

Kingsmead

Shenley Common
Farm South

Site of
Snelshall Priory

Trevallyn
Farm

12

▲Westcroft

WESTCROFT

83

WESTCROFT

A   **B**   **C**   **D**   **E**

1

Swan's Way

Briary
Plantation

HOWE   PARK   WOOD

2 34

2

Fish
Pond

Moat

Howe Park
Farm

Tattenhoe

Subs.

KINGSMEAD

Kingsmead

MK4

Bottlehouse
Farm

Bottlehouse
Plantation

M I L T O N

Tattenhoe
Hall Farm

3

SHENLEY

ROAD

Tattenhoe
Bare Farm

**Tattenhoe
Park**

Water
Spinney

Subway

Mill
Mound

Subway

TATTENHOE

Subs.

H8

B U C K

33

A421

B4034 New Leys

4

Woodpond
Farm

BOTTLE
DUMP

S T A N D I N G

Subway

A421

Subway

Bottle
Dump

WHADDON

Thrift Lodge

Thrift Wood

Bletchley Leys
Farm

The
Leys

WEASEL

M i l t o n

5

way Broadway
Wood

32

6

Chase
Farm

A Y L E S B U R Y

ROAD

WHADD

Manor
Farm

7

Lower Salden
Farm

Weasels

Thick Thorn
Farm

Salden Crabtree
Farm

31

Salden
Wood

Middle Salden
Wood

82

83

A   **B**   **C**   **D**   **E**

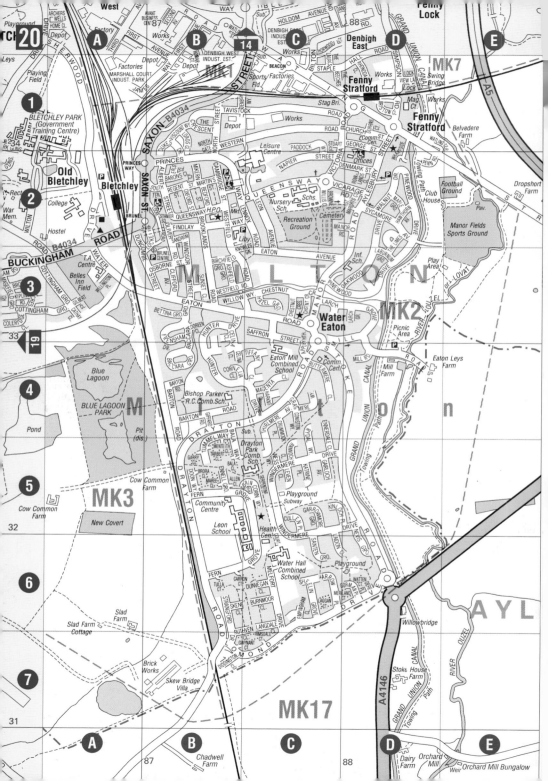

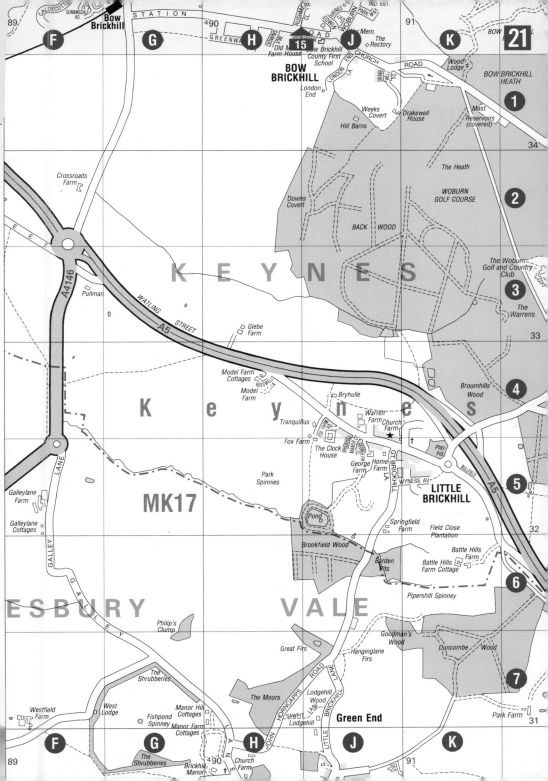

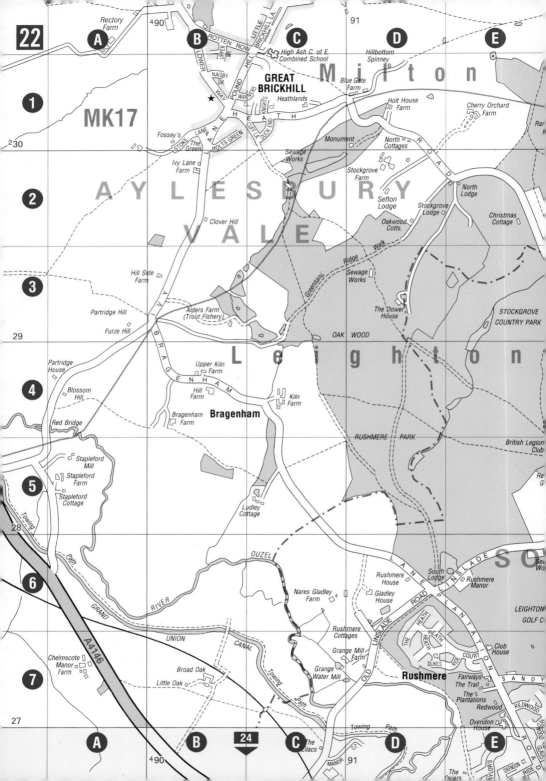

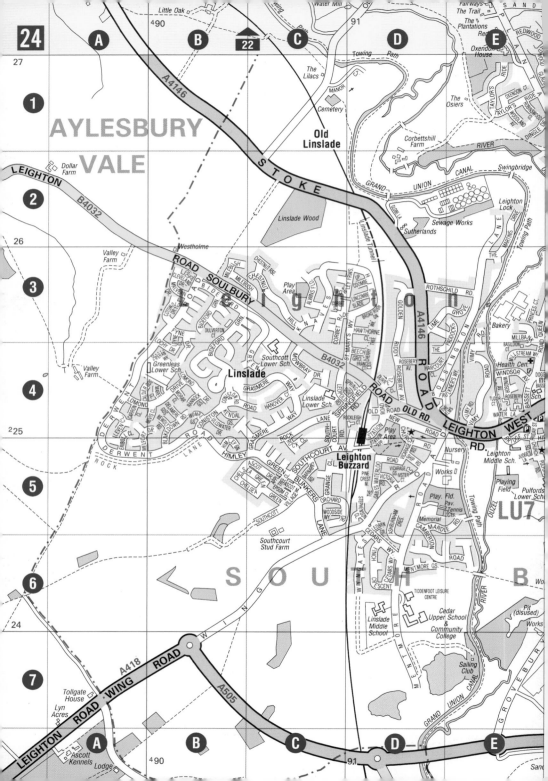

INDEX TO STREETS

HOW TO USE THIS INDEX

1. Each street name is followed by its Posttown or Postal Locality and then by its map reference; e.g. Abbey Rd. *Bdwl* —4D **8** is in the Bradwell Postal Locality and is to be found in square 4D on page **8**. The page number being shown in bold type.
A strict alphabetical order is followed in which Rd., St., etc. (though abbreviated) are read in full and as part of the street name; e.g. Apple Tree Clo. appears after Appleton M. but before Appleyard Pl.

2. Streets and a selection of Subsidiary names not shown on the Maps, appear in the index in *Italics* with the thoroughfare to which it is connected shown in brackets; e.g. *Alexandra Ct. Bdwl* —4D **8** *(off Vicarage Rd.)*

GENERAL ABBREVIATIONS

All : Alley	Cir : Circus	Ho : House	Pas : Passage
App : Approach	Clo : Close	Ind : Industrial	Pl : Place
Arc : Arcade	Comn : Common	Junct : Junction	Quad : Quadrant
Av : Avenue	Cotts : Cottages	La : Lane	Rd : Road
Bk : Back	Ct : Court	Lit : Little	S : South
Boulevd : Boulevard	Cres : Crescent	Lwr : Lower	Sq : Square
Bri : Bridge	Dri : Drive	Mnr : Manor	Sta : Station
B'way : Broadway	E : East	Mans : Mansions	St : Street
Bldgs : Buildings	Embkmt : Embankment	Mkt : Market	Ter : Terrace
Bus : Business	Est : Estate	M : Mews	Trad : Trading
Cvn : Caravan	Gdns : Gardens	Mt : Mount	Up : Upper
Cen : Centre	Ga : Gate	N : North	Vs : Villas
Chu : Church	Gt : Great	Pal : Palace	Wlk : Walk
Chyd : Churchyard	Grn : Green	Pde : Parade	W : West
Circ : Circle	Gro : Grove	Pk : Park	Yd : Yard

POSTTOWN AND POSTAL LOCALITY ABBREVIATIONS

Ash : Ashland	*Dow B* : Downs Barn	*Lin W* : Linford Wood	*Stant F* : Stantonbury Fields
Asp G : Aspley Guise	*Dow P* : Downhead Park	*Loug* : Loughton	*Sto S* : Stony Stratford
Ban : Bancroft	*Eag* : Eaglestone	*Maid M* : Maids Moreton	*Stone* : Stonebridge
Ban P : Bancroft Park	*Eag W* : Eaglestone West	*Mil K* : Milton Keynes	*Tat* : Tattenhoe
Bdwl : Bradwell	*Em V* : Emerson Valley	*MKV* : Milton Keynes Village	*Tilb* : Tilbrook
Bdwl A : Bradwell Abbey	*Fish* : Fishermead	*Monk* : Monkston	*Tin B* : Tinkers Bridge
Bdwl C : Bradwell Common	*Ful S* : Fullers Slade	*N'fld* : Northfield	*Tong* : Tongwell
Bean : Beanhill	*Furz* : Furzton	*Nea H* : Neath Hill	*Two M* : Two Mile Ash
Blak : Blakelands	*Gif P* : Giffard Park	*Neth* : Netherfield	*Twy* : Twyford
Ble H : Bleak Hall	*Grnly* : Greenleys	*New B* : New Bradwell	*Wal T* : Walnut Tree
Blet : Bletchley	*Gt Bri* : Great Brickhill	*Newp P* : Newport Pagnell	*Wav* : Wavendon
Blu B : Blue Bridge	*Gt Hm* : Great Holm	*Newt L* : Newton Longville	*Wav G* : Wavendon Gate
Bol P : Bolbeck Park	*Gt Lin* : Great Linford	*Old F* : Old Farm Park	*Wbrn* : Woburn
Bow B : Bow Brickhill	*H&R* : Heath & Reach	*Old S* : Old Stratford	*Wbrn S* : Woburn Sands
Brad : Bradville	*Hans* : Hanslope	*Old W* : Old Wolverton	*Wcrft* : Westcroft
Brin : Brinklow	*Hav* : Haversham	*Oldb* : Oldbrook	*Wil* : Willen
Brog : Brogborough	*Hee* : Heelands	*Pear B* : Peartree Bridge	*Wil P* : Willen Park
Brou : Broughton	*Hod L* : Hodge Lea	*Pen* : Pennyland	*Wing* : Wing
Brow W : Browns Wood	*Hul* : Hulcote	*Redm* : Redmoor	*Wint* : Winterhill
Buck : Buckingham	*Hus C* : Husborne Crawley	*Ridg* : Ridgmont	*Wltn* : Walton
Cald : Caldecotte	*Int P* : Interchange Park	*Rook* : Rooksley	*Wltn P* : Walton Park
Cam P : Campbell Park	*Ken H* : Kents Hill	*Shen B* : Shenley Brook End	*Wol* : Wolverton
Cast : Castlethorpe	*Kgsmd* : Kingsmead	*Shen C* : Shenley Church End	*Wol M* : Wolverton Mill
Cen M : Central Milton Keynes	*Kgstn* : Kingston	*Shen L* : Shenley Lodge	*Wool* : Woolstone
Clvtn : Calverton	*Kil F* : Kiln Farm	*Shen W* : Shenley Wood	*Woug G* : Woughton on
Cof H : Coffee Hall	*Know* : Knowlhill	*Simp* : Simpson	the Green
Conn : Conniburrow	*L Bri* : Little Brickhill	*Soul* : Soulbury	*Woug P* : Woughton Park
Cosg : Cosgrove	*L Buz* : Leighton Buzzard	*Spfld* : Springfield	*Wym* : Wymbush
Crow : Crownhill	*Lead* : Leadenhall	*Sta B* : Stacey Bushes	
Dean : Deanshanger	*Lee* : Leedon	*Stant* : Stantonbury	

INDEX TO STREETS

Abbey Hill Roundabout. *Mil K*
—5B **8**
Abbey Rd. *Bdwl* —4D **8**
Abbey Rd. *Simp* —4D **14**
Abbey Ter. *Newp P* —3H **5**
Abbey Wlk. *H&R* —6F **23**
Abbey Way. *Brad* —2D **8**
Abbots Clo. *Brad* —2E **8**
Abbotsfield. *Eag* —1A **14**
Aberdeen Clo. *Blet* —7J **13**
Abraham Clo. *Wil P* —2B **10**
Acacia Clo. *L Buz* —5K **25**
Ackerman Clo. *Buck* —4E **26**
Acorn Ho. *Cen M* —6G **9**
Acorn Wlk. *Cen M* —6H **9**

Adams Bottom. *L Buz* —2F **25**
Adams Clo. *Buck* —3B **26**
Adams Ct. *Woug G* —1B **14**
Adastral Av. *L Buz* —5J **25**
Addington Rd. *Buck* —3C **26**
Addington Ter. *Buck* —3C **26**
Adelphi St. *Cam P* —4J **9**
Ainsdale Clo. *Blet* —1G **19**
Aintree Clo. *Blet* —4F **19**
Akerman Clo. *Grnly* —3J **7**
Akister Clo. *Buck* —4D **26**
Albany Ct. *Stant* —1G **9**
Albany Rd. *L Buz* —4G **25**
Albert St. *Blet* —2B **20**
Albion Pl. *Cam P* —5K **9**

Albury Ct. *Gt Hm* —7C **8**
Aldenham. *Tin B* —4C **14**
Aldergill. *Hee* —3F **9**
Aldermead. *Sta B* —3B **8**
Aldrich Dri. *Wil* —1C **10**
Aldwycks Clo. *Shen C* —3C **12**
Alexandra Ct. Bdwl —4D **8**
(off Vicarage Rd.)
Alexandra Dri. *Newp P* —4G **5**
Alladale Pl. *Hod L* —4A **8**
Allen Clo. *Blet* —5B **20**
Allison Ct. *Wool* —7B **10**
All Saints View. *Loug* —1E **12**
Almond Clo. *Newp P* —4F **5**
Almond Rd. *L Buz* —3H **25**

Alston Dri. *Bdwl A* —4C **8**
Alstonefield. *Em V* —6E **12**
Althorpe Cres. *Brad* —2D **8**
Alton Ga. *Wcrft* —7C **12**
Alverton. *Gt Lin* —7D **4**
Alwins Field. *L Buz* —3C **24**
Ambergate. *Brou* —4G **11**
Ambridge Gro. *Pear B* —7A **10**
Ambrose Ct. *Wool* —6B **10**
Amelas La. *Cam P* —5K **9**
Amherst Ct. *Wil* —1B **10**
Ampleforth. *Monk* —7F **11**
Ancell Rd. *Sto S* —3F **7**
Andrewes Croft. *Gt Lin* —7D **4**
(in two parts)

Brackley Rd. *Buck* —3A **26**
Bradbourne Dri. *Tilb* —6G **15**
Bradbury Clo. *Bdwl* —5D **8**
Bradfield Av. *Buck* —2C **26**
Bradley Gro. *Em V* —7E **12**
Bradvue Cres. *Brad* —2D **8**
Bradwell Comn. Boulevd. *Bdwl C* —6F **9**
Bradwell Rd. *Brad* —1D **8**
Bradwell Rd. *Gt Hm & Loug* —6D **8**
Bradwell Rd. *Loug* —2D **12**
Braford Gdns. *Shen B* —5E **12**
Bragenham La. *L Buz* —4B **22**
Brahms Clo. *Old Fm* —4H **15**
Bramber Clo. *Blet* —3H **19**
Bramble Av. *Conn* —4H **9**
Bramble Clo. *L Buz* —5H **25**
Bramley Grange. *Blet* —6C **20**
Bramley Rd. *Blet* —6B **14**
Brampton Ct. *Brad* —2D **8**
Bransgill Ct. *Hee* —4E **8**
Bransworth Av. *Brin* —1H **15**
Braunston. *Woug P* —3C **14**
Braybrooke Dri. *Furz* —6H **13**
Brayton Ct. *Shen L* —3F **13**
Breamore Ct. *Gt Hm* —7C **8**
Brearley Av. *Oldb* —2H **13**
Breckland. *Lin W* —3F **9**
Brendon Ct. *Furz* —7G **13**
Brent. *Tin B* —4C **14**
Breton. *Sto S* —2F **7**
Briar Hill. *Sta B* —4A **8**
Brices Meadow. *Shen B* —6D **12**
Brick Clo. *Kil F* —6K **7**
Brickhill Mnr. Ct. *L Bri* —5J **21**
Brickhill Rd. *H&R* —3F **23**
Brickhill St. *Mil K* —5D **4**
Bridgeford Ct. *Oldb* —1H **13**
Bridge Rd. *Cosg* —5A **2**
Bridge St. *Buck* —4C **26**
Bridge St. *L Buz* —5E **24**
Bridge St. *New B* —1C **8**
Bridgeturn Av. *Old W* —7F **3**
Bridgeway. *New B* —1D **8**
Bridle Clo. *Brad* —2D **8**
Brill Pl. *Bdwl C* —5E **8**
Brindlebrook. *Two M* —7B **8**
Brinklow Roundabout. *Monk* —7G **11**
Bristle Hill. *Buck* —4B **26**
Bristow Clo. *Blet* —1D **20**
Britten Gro. *Old Fm* —4J **15**
Broad Arrow Clo. *Nea H* —1H **9**
Broad Dean. *Eag* —1K **13**
Broadlands. *Neth* —3A **14**
Broadpiece. *Pen* —1K **9**
Broad Rush Grn. *L Buz* —3D **24**
Broad St. *Newp P* —4G **5**
Broadwater. *Tin B* —3C **14**
Broadway Av. *Gif P* —5D **4**
Brockhampton. *Dow P* —2A **10**
Brockwell. *Newp P* —4G **5**
Bromham Mill. *Gif P* —5D **4**
Brooke Clo. *Blet* —3J **19**
Brookfield La. *Buck* —5C **26**
Brookfield Rd. *Hav* —5F **3**
Brookfield Rd. *Newt L* —7G **19**
Brooklands Av. *L Buz* —5G **25**
Brooklands Dri. *L Buz* —5G **25**
Brooklands Rd. *Blet* —2B **20**
Brooks Ct. *Buck* —4C **8**
Brookside. *Hod L* —4A **8**
Brookside Clo. *Old S* —2C **6**
Brookside Wlk. *L Buz* —4H **25**
Brook St. *L Buz* —4H **25**

Brook Way. *Dean* —7B **6**
Broomfield. *Sta B* —4A **8**
Broomhills Rd. *L Buz* —2F **25**
Broomlee. *Ban* —3D **8**
Brora Clo. *Blet* —5B **20**
Brough Clo. *Shen C* —4D **12**
Broughton Mnr. Bus. Cen. *Brou* —4G **11**
Broughton Rd. *Brou* —5G **11**
Broughton Rd. *MKV* —5F **11**
Brownbaker Ct. *Nea H* —2J **9**
Browne Willis Clo. *Blet* —2C **20**
Browning Clo. *Newp P* —3E **4**
Browning Cres. *Blet* —3K **19**
Brownslea. *L Buz* —5H **25**
Browns Way. *Asp G* —4E **16**
Browns Wood Roundabout. *Brow W* —4H **15**
Broxbourne Clo. *Gif P* —5D **4**
Bruckner Gdns. *Old Fm* —4J **15**
Brudenell Dri. *Brin* —1G **15**
Brunel Cen. *Blet* —3B **20**
Brunel Roundabout. *Blet* —2A **20**
Brunleys. *Kil F* —5J **7**
Brushford Clo. *Furz* —6G **13**
Bryony Pl. *Conn* —3H **9**
Buckby. *Tin B* —3C **14**
Buckfast Av. *Blet* —7J **13**
(in two parts)
Buckingham Ct. *Newp P* —4F **5**
Buckingham Ga. *Eag* —7A **10**
Buckingham Ind. Pk. *Buck* —6C **26**
Buckingham Ring Rd. *Buck* —5A **26**
Buckingham Rd. *Blet* —4E **18**
Buckingham Rd. *Buck* —7A **26**
Buckingham St. *Wol* —1A **8**
Buckland Dri. *Neth* —3A **14**
Buckley Ct. *Sto S* —4G **7**
Buckman Clo. *Grnly* —3J **7**
Buckthorn. *Sta B* —3B **8**
Bullfield. *L Bri* —5K **21**
Bullington End Rd. *Cast* —1C **2**
Bunkers La. *L Buz* —5C **24**
Bunsty Ct. *Sto S* —4G **7**
Burano Clo. *Wav G* —3H **15**
Burchard Cres. *Shen C* —2D **12**
Burdeleys La. *Shen B* —5D **12**
Burdock Ct. *Newp P* —3D **4**
Burewelle. *Two M* —7A **8**
Burgess Gdns. *Newp P* —5F **5**
Burghley Ct. *Gt Hm* —1C **12**
Burholme. *Em V* —6F **13**
Burleigh Ct. *Buck* —4E **26**
(off Burleigh Piece)
Burleigh Piece. *Buck* —3D **26**
Burners La. *Kil F* —5J **7**
Burners La. S. *Kil F* —5J **7**
Burnet. *Stant* —1F **9**
Burnham Dri. *Bdwl C* —4F **9**
Burnmoor Clo. *Blet* —6C **20**
Burns Clo. *Newp P* —3E **4**
Burns Rd. *Blet* —3K **19**
Burrows Clo. *Wbrn S* —4C **16**
Burtree Clo. *Sta B* —3A **8**
Bury Av. *Newp P* —3G **5**
Bury Clo. *Newp P* —3G **5**
Bury St. *Newp P* —3G **5**
Busby Clo. *Buck* —3E **26**
Buscot Pl. *Gt Hm* —1C **12**
Bushey Bartrams. *Shen B* —6D **12**
Bushey Clo. *Buck* —3E **26**
Bushy Clo. *Blet* —6K **13**
Butcher La. *Wcrft* —7C **12**

Bute Brae. *Blet* —7H **13**
Butlers Gro. *Gt Lin* —7B **4**
Butterfield Clo. *Wool* —6B **10**
Buttermere Clo. *Blet* —4C **20**
Buzzacott La. *Furz* —6F **13**
Byerly Pl. *Dow B* —3J **9**
Byrd Cres. *Old F* —3J **15**
Byron Clo. *Blet* —3J **19**
Byron Dri. *Newp P* —3E **4**
Byward Clo. *Nea H* —1H **9**

Cadman Sq. *Shen L* —4F **13**
Caernarvon Cres. *Blet* —3G **19**
Caesars Clo. *Ban* —3D **8**
Cairngorm Ga. *Wint* —2G **13**
Caithness Ct. *Blet* —7J **13**
Calamus Ct. *Wal T* —3G **15**
Caldecote La. *Newp P* —5J **5**
Caldecote St. *Newp P* —3G **5**
Caldecotte Lake Dri. *Cald* —7F **15**
Caldecotte La. *Cald* —6F **15**
Caldecotte Roundabout. *Cald* —6E **14**
Calder Gdns. *L Buz* —4A **24**
Calder Vale. *Blet* —1H **19**
Caldewell. *Two M* —7A **8**
Caledonian Rd. *New B* —1B **8**
Calewen. *Two M* —7B **8**
Calluna Dri. *Blet* —6K **13**
Calvards Croft. *Grnly* —4K **7**
Calverleigh Cres. *Furz* —6G **13**
Calverton La. *Clvtn* —7H **7**
Calverton La. Roundabout. *Kil F* —6K **7**
Calverton Rd. *Sto S* —3E **6**
Calves Clo. *Shen B* —6D **12**
Camber Clo. *Blet* —3H **19**
Camberton Rd. *L Buz* —5D **24**
Cambridge St. *Blet* —2B **20**
Cambridge St. *Wol* —1K **7**
Cambron. *Two M* —6A **8**
Cam Ct. *Blet* —2H **19**
Camlet Gro. *Stant F* —2G **9**
Camomile Ct. *Wal T* —4H **15**
Campbell Av. *Buck* —4E **26**
Campbell Pk. Roundabout. *Cen M* —5J **9**
Campion. *Gt Lin* —5C **4**
Canalside Roundabout. *Cam P* —4A **10**
Candlewicks. *Wal T* —3G **15**
Canon Harnett Ct. *Wol M* —2G **7**
Canons Rd. *Old W* —1K **7**
Cantell Clo. *Buck* —3C **26**
Cantle Av. *Dow B* —3K **9**
Capel Dri. *Dow B* —3J **9**
Capian Wlk. *Two M* —7B **8**
Capital Dri. *Lin W* —2H **9**
Capron. *Bean* —4K **13**
Capshill Av. *L Buz* —4H **25**
Caraway Clo. *Wal T* —5G **15**
Cardigan Clo. *Blet* —1J **19**
Cardwell Clo. *Em V* —7F **13**
Carhampton Ct. *Furz* —6G **13**
Carina Dri. *L Buz* —4H **25**
Carisbrook Ct. *Buck* —2D **26**
Carleton Ga. *Wil* —1D **10**
Carlina Pl. *Conn* —5G **9**
Carlton Clo. *Newp P* —3J **5**
Carlton Gro. *L Buz* —7F **23**
Carlyle Clo. *Newp P* —3E **4**
Carnation Clo. *L Buz* —4H **25**
Carne, The. *Sto S* —3F **7**
Carnot Clo. *Shen L* —5F **13**
Carnoustie Gro. *Blet* —3F **19**

Carolus Creek. *Pen* —1K **9**
Carpenter Ct. *Nea H* —2J **9**
Carrick Rd. *Fish* —7J **9**
Carrington Rd. *Newp P* —4F **5**
Carroll Clo. *Newp P* —2E **4**
Carron Clo. *L Buz* —4A **24**
Carron Ct. *Blet* —6B **20**
Carteret Clo. *Wil* —1D **10**
Carters La. *Kil F* —5H **7**
Cartmel Clo. *Blet* —4F **19**
Cartwright Pl. *Oldb* —1H **13**
Carvers M. *Nea H* —2J **9**
Casterton Clo. *Hee* —4F **9**
Castle Ct. *Buck* —4C **26**
Castle Meadow Clo. *Newp P* —3J **5**
Castle Rose. *Woug P* —3C **14**
Castlesteads. *Ban* —3C **8**
Castle St. *Buck* —4C **26**
Catchpole Clo. *Grnly* —3J **7**
Cathay Clo. *Blet* —3A **20**
Catherine Ct. *Buck* —2D **26**
Cavendish Ct. *Loug* —1D **12**
Cavenham. *Two M* —6C **8**
Cawarden. *Stant* —1F **9**
Caxton Rd. *Old W* —1J **7**
Cecily Ct. *Shen C* —4D **12**
Cedar Lodge Dri. *Wol* —1A **8**
Cedars Way. *L Buz* —5D **24**
Cedars Way. *Newp P* —3G **5**
Celandine Ct. *Wal T* —3F **15**
Celina Clo. *Blet* —3B **20**
Centauri Clo. *L Buz* —3H **25**
Centurion Ct. *Kil F* —6K **7**
Century Av. *Oldb* —1H **13**
Cetus Cres. *L Buz* —4H **25**
Chadds La. *Pear B* —1B **14**
Chadwick Dri. *Eag W* —2K **13**
Chaffron Way. *Mil K* —2C **18**
Chalcot Pl. *Gt Hm* —1C **12**
Chalfont Clo. *Brad* —2D **8**
Chalkdell Dri. *Shen W* —5C **12**
Challacombe. *Furz* —7G **13**
Chalmers Av. *Hav* —5F **3**
Chalwell Ridge. *Shen B* —5E **12**
Chamberlains Gdns. *L Buz* —1F **25**
Champflower. *Furz* —5F **13**
Chancery Clo. *Brad* —2D **8**
Chandlers Ct. *Simp* —4D **14**
Chandos Clo. *Buck* —5C **26**
Chandos Pl. *Blet* —2B **20**
(off Locke Rd.)
Chandos Rd. *Buck* —5C **26**
Chantry Clo. *Wbrn S* —3B **16**
Chapel Path. *L Buz* —1D **24**
Chapel St. *Wbrn S* —5C **16**
Chaplin Gro. *Crow* —2A **12**
Chapman Av. *Dow B* —3K **9**
Chapter. *Cof H* —4K **13**
Charbray Cres. *Shen B* —5D **12**
Chardacre. *Two M* —7B **8**
Charles Way. *Newp P* —3G **5**
Charlock Ct. *Newp P* —3D **4**
Chartley Ct. *Shen B* —5E **12**
Chartmoor Rd. *L Buz* —6F **25**
Chartwell Rd. *Newp P* —4J **5**
Chase Av. *Wltn P* —5F **15**
Chase, The. *Newt L* —6G **19**
Chatsworth. *Gt Hm* —7C **8**
Chaucer Clo. *Newp P* —3E **4**
Chaucer Rd. *Blet* —3K **19**
Chawton Cres. *Gt Hm* —7C **8**
Chelsea Grn. *L Buz* —5B **24**
Cheltenham Gdns. *Blet* —4G **19**
Cheneys Wlk. *Blet* —6K **13**

Chepstow Dri. *Blet* —4F **19**
Chequers, The. *Cast* —2B **2**
Cheriton. *Furz* —6H **13**
Cherleton. *Two M* —7B **8**
Cherrycourt Way. *L Buz* —5H **25**
(in three parts)
Cherrycourt Way Ind. Est. *L Buz*
—5J **25**
Cherry Rd. *Newp P* —4F **5**
Cherry Tree Wlk. *L Buz* —4D **24**
Chervil. *Bean* —4A **14**
(in three parts)
Cherwell Ho. *Blet* —2H **19**
Chesham Av. *Bdwl C* —5F **9**
Cheslyn Gdns. *Gif P* —7E **4**
Chesney Wold. *Ble H* —3H **13**
Chester Clo. *Blet* —3G **19**
Chesterholm. *Ban* —3C **8**
Chestnut Clo. *Newt L* —7G **19**
Chestnut Clo. *Sto S* —3E **6**
Chestnut Cres. *Blet* —3C **20**
(in two parts)
Chestnut Hill. *L Buz* —3C **24**
Chestnut Rise. *L Buz* —3C **24**
Chestnuts, The. *Cast* —2B **2**
Chetwode Av. *Monk* —7F **11**
Chetwode Clo. *Buck* —2D **26**
Chevalier Gro. *Crow* —2A **12**
Cheviot Clo. *L Buz* —3B **24**
Cheyne Clo. *Buck* —3E **26**
Chicheley St. *Newp P* —3J **5**
Chievely Ct. *Em V* —1F **19**
Childs Way. *Mil K* —6B **12**
Chillery Leys. *Wil* —1D **10**
Chiltern Gdns. *L Buz* —7F **23**
Chilterns, The. *L Buz* —5H **25**
Chiltern Trad. Est. *L Buz* —6G **25**
Chingle Croft. *Em V* —7E **12**
Chippenham Dri. *Kgstn* —6G **11**
Chipperfield Rd. *Brad* —1D **8**
Chipping Vale. *Em V* —7E **12**
Chislehampton. *Wool* —5B **10**
Christian Ct. *Wil* —1B **10**
Christie Clo. *Newp P* —2E **4**
Church Av. *L Buz* —5F **25**
Church Clo. *Loug* —1E **12**
Church Clo. *Maid M* —1E **26**
Church End. *Newt L* —7G **19**
Church End. *Wav* —2K **15**
Church End Rd. *Shen B* —6D **12**
Church Farm Cres. *Gt Lin* —7C **4**
Church Grn. Rd. *Blet* —2J **19**
Church Hill. *Asp G* —4F **17**
Church Hill. *Two M* —7B **8**
Churchill Cres. *Blet* —6K **13**
Churchill Rd. *L Buz* —2G **25**
Church La. *Dean* —7B **6**
Church La. *Loug* —1E **12**
Church Lees. *Gt Lin* —6B **4**
Church Pas. *Newp P* —3H **5**
Church Rd. *Bow B* —7J **15**
Church Rd. *L Buz* —4D **24**
Church Rd. *Wbrn S* —7C **16**
Church Sq. *L Buz* —5E **24**
Church St. *Asp G* —4F **17**
Church St. *Blet* —1D **20**
Church St. *Buck* —4B **26**
Church St. *L Buz* —3F **25**
Church St. *Maid M* —1E **26**
Church St. *New B* —1C **8**
Church St. *Sto S* —3E **6**
Church St. *Wol* —1K **7**
Church View. *Newp P* —3H **5**
Church Wlk. *Blet* —3J **19**
Cinnamon Gro. *Wal T* —4F **15**
Clailey Ct. *Sto S* —3G **7**

Clapham Pl. *Bdwl C* —6F **9**
Claremont Av. *Sto S* —4F **7**
Clarence Rd. *L Buz* —3F **25**
Clarence Rd. *Sto S* —3F **7**
Clarendon Dri. *Wym* —6C **8**
Claridge Dri. *MKV* —6F **11**
Clarke Rd. *Blet* —5B **14**
Clay Hill. *Two M* —6B **8**
Clayton Ga. *Gif P* —7E **4**
Cleavers Av. *Conn* —5G **9**
Cleeve Cres. *Blet* —7K **13**
Clegg Sq. *Shen B* —5E **12**
Clerkenwell Pl. *Spfld* —5A **10**
Cleveland. *Brad* —2E **8**
Cleveland Dri. *L Buz* —3B **24**
Clifford Av. *Blet* —3B **20**
Cline Ct. *Crow* —3B **12**
Clipstone Cres. *L Buz* —4H **25**
Cloebury Paddock. *Wool* —5B **10**
Close, The. *Bdwl* —4D **8**
Close, The. *Wbrn S* —5C **16**
Close, The. *Woug G* —2C **14**
Cloudberry. *Wal T* —3F **15**
Cloutsham Clo. *Furz* —6F **13**
Clover Clo. *Loug* —1D **12**
Club La. *Wbrn S* —5C **16**
Clyde Pl. *Blet* —1H **19**
Clydesdale Pl. *Dow B* —4J **9**
Coachmaker Ct. *Nea H* —2J **9**
Cobb Hall Rd. *Newt L* —7F **19**
Coberley Clo. *Dow P* —2A **10**
Cobham Clo. *Buck* —3B **26**
Cochran Clo. *Crow* —2B **12**
Cockerell Gro. *Shen L* —4F **13**
Coffee Hall Roundabout. *Neth*
—3A **14**
Cofferidge Clo. *Sto S* —3E **6**
Cogan Ct. *Crow* —2B **12**
Coggeshall Gro. *Wav G* —2H **15**
Coldeaton La. *Em V* —6E **12**
Coleridge Clo. *Blet* —3K **19**
Coleridge Clo. *Newp P* —3D **4**
Colesbourne Dri. *Dow P* —3A **10**
Coleshill Pl. *Bdwl C* —5F **9**
Colgrain St. *Cam P* —4K **9**
Colley Hill. *Bdwl* —4D **8**
Collins Wlk. *Newp P* —3E **4**
Colne. *Tin B* —3C **14**
Colston Bassett. *Em V* —1F **19**
Coltsfoot Ct. *Conn* —5G **9**
Colts Holm Rd. *Old W* —7E **2**
Columba Dri. *L Buz* —3J **25**
Columbia Pl. *Cam P* —5K **9**
Combe Martin *Furz* —7G **13**
Comfrey Clo. *Wal T* —4F **15**
Commerce Way. *L Buz* —5K **25**
Commerce Way Ind. Est. *L Buz*
—5K **25**
Common La. *Bdwl C* —4D **8**
Common La. *Loug* —1F **13**
Concord Way. *L Buz* —6K **25**
Concourse, The. *Blet* —3B **20**
(off Brunel Cen.)
Concra Pk. *Wbrn S* —5D **16**
Condor Clo. *Eag* —1K **13**
Congreve. *Tin B* —4C **14**
Coniston Rd. *L Buz* —4B **24**
Coniston Way. *Blet* —4C **20**
Conniburrow Boulevd. *Conn*
—5G **9**
Constable Clo. *Nea H* —1J **9**
Constantine Way. *Ban P* —3C **8**
Conway Clo. *Blet* —2J **19**
Conway Cres. *Blet* —2H **19**
Cook Clo. *Wltn P* —5G **15**
Coopers Ct. *Newp P* —3G **5**

Coopers M. *Nea H* —2J **9**
Coots Clo. *Buck* —5D **26**
Copeland Clo. *Brow W* —4H **15**
Copes Haven. *Shen B* —6E **12**
Copper Beech Way. *L Buz*
—1F **25**
Coppin La. *Bdwl* —5D **8**
Corbet Ride. *L Buz* —3C **24**
Corbet Sq. *L Buz* —3C **24**
Corbett Clo. *Wil* —1C **10**
Cordwainer Ct. *Nea H* —2J **9**
Corfe Cres. *Blet* —2J **19**
Coriander Ct. *Wal T* —4G **15**
Corin Clo. *Blet* —5C **20**
Corin Way. *Blet* —5C **20**
Cornbury Cres. *Dow P* —2K **9**
Cornelia Clo. *Blet* —4B **20**
Corn Hill. *Two M* —7B **8**
Cornwall Gro. *Blet* —1J **19**
Cornwalls Cen., The. *Buck*
—3C **26**
Cornwalls Meadow. *Buck*
—3C **26**
Coronation Rd. *Sto S* —3F **7**
Corrigan Clo. *Blet* —2K **19**
Corsham Ct. *Gt Hm* —7C **8**
Cosgrove Rd. *Old S* —1C **6**
Cotefield Dri. *L Buz* —1G **25**
(in two parts)
Cotman Clo. *Grnly* —3J **7**
Cotswold Dri. *L Buz* —3B **24**
Cottesloe Ct. *Sto S* —3G **7**
Cottingham Gro. *Blet* —3K **19**
Cottisford Cres. *Gt Lin* —6C **4**
(in three parts)
Countisbury. *Furz* —7G **13**
Courteneys Lodge. *Furz* —6H **13**
(off Blackmoor Ga.)
Courthouse M. *Newp P* —3G **5**
Courtlands. *L Buz* —5D **24**
(off Mentmore Rd.)
Coverdale. *Hee* —3F **9**
Cowdray Clo. *Wool* —5B **10**
Cowper Clo. *Newp P* —3E **4**
Coxwell Clo. *Buck* —3E **26**
Craddocks Clo. *Bdwl* —5E **8**
Craddocks Dri. *L Buz* —7F **23**
Craigmore Av. *Blet* —2J **19**
Cranberry Clo. *Wal T* —3G **15**
Cranborne Av. *Wcrft* —1C **18**
Cranbrook. *Wbrn S* —4C **16**
Cranesbill Pl. *Conn* —4H **9**
Cranfield Rd. *Wbrn S* —4C **16**
Cranwell Clo. *Shen B* —6E **12**
Craven, The. *Hee* —4F **9**
Crawley Pk. *Hus C* —4H **17**
Crawley Rd. *Hus C* —7H **17**
Creed St. *Wol* —1A **8**
Creran Wlk. *L Buz* —4B **24**
Crescent, The. *Blet* —1B **20**
Crescent, The. *Gt Lin* —5C **4**
Crescent, The. *Hav* —5G **3**
Creslow Ct. *Sto S* —3G **7**
Cressey Av. *Shen B* —5E **12**
Cricket Grn. Roundabout. *Cam P*
—4A **10**
Cricklebeck. *Hee* —3E **8**
Crispin Rd. *Blet* —6H **13**
Cromarty Ct. *Blet* —6H **13**
Cromwell Av. *Newp P* —4E **4**
Cromwell Ct. *Buck* —2D **26**
Cropredy Ct. *Buck* —2D **26**
Cropwell Bishop. *Em V* —1F **19**
Crosby Ct. *Crow* —3B **12**
Cross End. *Wav* —1A **16**
Crosshills. *Sto S* —4E **6**

Crosslands. *Stant* —7B **4**
Crosslow Bank. *Em V* —6F **13**
Cross St. *Newp P* —3G **5**
Crossway. *L Buz* —4J **25**
Crowborough La. *Ken H* —1F **15**
Crow La. *Hus C* —5J **17**
Crow La. *Wav* —1C **16**
Crownhill Roundabout. *Crow*
—1B **12**
Crown Wlk. *Cen M* —5H **9**
Crowther Ct. *Shen L* —4F **13**
Croydon Clo. *Furz* —6F **13**
Cruickshank Gro. *Crow* —2A **12**
Crummock Pl. *Blet* —4C **20**
Cuff La. *Gt Bri* —1C **2**
Culbertson La. *Blu B* —2B **8**
Cullen Pl. *Blet* —5C **20**
Culmstock Clo. *Em V* —7G **13**
Culrain Pl. *Hod L* —4A **8**
Cumbria Clo. *Blet* —1J **19**
Currier Dri. *Nea H* —2H **9**
Curtis Croft. *Shen B* —6E **12**
Curzon Pl. *Old Fm* —5K **15**
Cutlers M. *Nea H* —2J **9**
Cutlers Way. *L Buz* —5G **25**
Cygnus Dri. *L Buz* —3J **25**
Cypress. *Newp P* —4E **4**

Dalgin Pl. *Cam P* —5K **9**
Dalvina Pl. *Hod L* —4A **8**
Dane Rd. *Blet* —7C **14**
Danesborough Dri. *Wbrn S*
—7B **16**
Danes Way. *L Buz* —4J **25**
Daniels Welch. *Cof H* —2K **13**
Dansteed Way. *Crow* —2A **12**
Darby Clo. *Shen L* —4E **12**
Darin Ct. *Crow* —1C **12**
Darley Ga. *Dow B* —3J **9**
Darnel Clo. *Bean* —4K **13**
Dart Clo. *Newp P* —3H **5**
Daubeney Ga. *Shen C* —3C **12**
Davenport Lea. *Old Fm* —5K **15**
Davey Ct. *Blet* —6D **13**
Davy Av. *Know* —2F **13**
Dawson Rd. *Blet* —6B **14**
Daylesford Ct. *Dow P* —2A **10**
Deanshanger Rd. *Old S* —3C **6**
Dean's Rd. *Old W* —1K **7**
Debbs Clo. *Sto S* —3F **7**
Deben Clo. *Newp P* —4J **5**
De Clare Ct. *Buck* —3D **26**
Deepdale. *Hee* —2F **9**
Deerfern Clo. *Gt Lin* —6C **4**
Deerfield Clo. *Buck* —5D **26**
Deethe Clo. *Wbrn S* —3C **16**
Delamere Gdns. *L Buz* —4B **24**
Delaware Dri. *Tong* —6F **5**
(in two parts)
Delius Clo. *Brow W* —5H **15**
Dell, The. *H&R* —5G **23**
Deltic Av. *Rook* —6E **8**
Denbigh E. Ind. Est. *Blet* —7C **14**
Denbigh Hall. *Blet* —6J **13**
Denbigh Hall Dri. *Blet* —6J **13**
Denbigh Rd. *Blet* —6A **14**
Denbigh Roundabout. *Blet*
—7B **14**
Denbigh Way. *Blet* —1B **20**
Denbigh W. Ind. Est. *Blet*
(in two parts) —7A **14**
Denchworth Ct. *Em V* —7F **13**
Dene Clo. *Wbrn S* —6D **16**
Denham Clo. *Blet* —2G **19**
Denison Ct. *Wav G* —3J **15**
Denmark St. *Blet* —2D **20**

Denmead. *Two M* —6B **8**
Dennison Dri. *Cast* —2B **2**
Dere Pl. *Blet* —6D **20**
Derwent Clo. *Newp P* —3H **5**
Derwent Dri. *Blet* —2H **19**
Derwent Rd. *L Buz* —4A **24**
Develin Clo. *Nea H* —1J **9**
Devon Clo. *Blet* —1H **19**
Dexter Av. *Oldb* —1J **13**
Dickens Dri. *Old S* —2C **6**
Dickens Rd. *Old W* —7E **2**
Diddington Clo. *Blet* —7B **20**
Digby Rd. *L Buz* —3F **25**
Dingle Dell. *L Buz* —1E **24**
Dixie La. *Wav G* —3H **15**
Dodkin. *Bean* —4A **14**
  (in four parts)
Dodman Grn. *Tat* —2E **18**
Doggett St. *L Buz* —4E **24**
  (in three parts)
Dolben Ct. *Wil* —7H **5**
Donnington. *Brad* —2E **8**
Don, The. *Blet* —1G **19**
Doon Way. *Blet* —5B **20**
Dorchester Av. *Blet* —7J **13**
  (in three parts)
Doreen Clo. *Blet* —3B **20**
Dorking Pl. *Shen B* —5E **12**
Dormans Clo. *MKV* —6F **11**
Dorney Pl. *Bdwl C* —5F **9**
Dorset Clo. *Blet* —1J **19**
Dorton Clo. *Gt Hm* —7C **8**
Douglas Pl. *Oldb* —1G **13**
Doune Ho. *Blet* —7J **13**
Dove Clo. *Buck* —5D **26**
Dove Clo. *Newp P* —3H **5**
Dovecote. *Newp P* —3G **5**
Dover Ga. *Blet* —3J **19**
Dove Tree Rd. *L Buz* —3H **25**
Downdean. *Eag* —1K **13**
Downer Clo. *Buck* —4E **26**
Downham Rd. *Wbrn S* —5D **16**
Downland. *Two M* —6B **8**
Downley Av. *Bdwl C* —5F **9**
Downs Barn Boulevd. *Dow B*
  —4J **9**
Downs Barn Roundabout. *Conn*
  —3J **9**
Downs View. *Bow B* —7H **15**
Drakes M. *Crow* —2B **12**
Drakewell Rd. *Bow B* —1J **21**
Drayton Rd. *Blet* —4B **20**
Drayton Rd. *Newt L* —7G **19**
Drovers Croft. *Grnly* —4J **7**
Drummond Hay. *Wil* —1B **10**
Dryden Clo. *Newp P* —3E **4**
Duchess Dri. *Wav G* —2H **15**
Duck End. *Gt Bri* —1C **22**
Duck La. *Maid M* —1D **26**
Duck La. Clo. *Maid M* —1D **26**
Dudley Hill. *Shen C* —3D **12**
Dudley St. *L Buz* —5F **25**
Dukes Dri. *Blet* —1B **20**
Dukes Piece. *Buck* —4E **26**
Dukes Ride. *L Buz* —7D **22**
Duke St. *Asp G* —5E **16**
Dulverton Ct. *L Buz* —3B **24**
Dulverton Dri. *Furz* —6F **13**
Dulwich Clo. *Newp P* —5G **5**
Dumfries Clo. *Bea* —6J **13**
Dunbar Clo. *Blet* —2G **19**
Duncan Gro. *Shen C* —3C **12**
Dunchurch Dale. *Wal T* —4F **15**
Duncombe Dri. *L Buz* —5F **25**
Duncombe St. *Blet* —2A **20**
Dunkery Beacon. *Furz* —6G **13**

Dunsby Av. *Redm* —5K **13**
Dunster Ct. *Furz* —6H **13**
Dunvedin Pl. *Hod L* —4A **8**
Dunvegan Clo. *Blet* —6C **20**
Duparc Clo. *Brow W* —4H **15**
Durgate. *Ken H* —1F **15**
Durrans Ct. *Blet* —1D **20**
Durrans Ho. *Blet* —1D **20**
  (off Durrans Ct.)
Durrell Clo. *L Buz* —4D **24**
Dyersdale. *Hee* —3F **9**
Dyers M. *Nea H* —3J **9**

Eaglestone Roundabout. *Eag*
  —1K **13**
Eagle Wlk. *Cen M* —5J **9**
Earls Clo. *Blet* —2B **20**
Earls Willow. *New B* —7J **3**
Eastbury Ct. *Em V* —1G **19**
East Chapel. *Tat* —2E **18**
East Dales. *Hee* —3F **9**
Eastern Way. *H&R* —6G **23**
East La. *Wltn* —2E **14**
East St. *L Buz* —3F **25**
Eaton Av. *Blet* —3C **20**
Eddington Ct. *Em V* —1G **19**
Eden Wlk. *Blet* —1H **19**
Eden Way. *L Buz* —6G **25**
Edgecote. *Gt Hm* —1D **12**
Edge Hill Ct. *Buck* —2D **26**
Edinburgh Ho. *Blet* —3G **19**
  (off Chester Clo.)
Edison Sq. *Shen L* —4F **13**
Edmonds Clo. *Buck* —3E **26**
Edmund Ct. *Shen C* —2C **12**
Edrich Av. *Oldb* —1J **13**
Edward St. *L Buz* —3F **25**
Edwin Clo. *Bow P* —3J **15**
Edy Ct. *Loug* —7D **8**
Eelbrook Av. *Bdwl C* —6F **9**
Egerton Ga. *Shen B* —5D **12**
Egmont Av. *Sto S* —4F **7**
Eider Clo. *Buck* —4D **26**
Elder Ga. *Cen M* —7E **8**
  (in three parts)
Elfield Pk. Roundabout. *Blet*
  —5J **13**
Elfords. *Cof H* —3K **13**
Elgar Gro. *Brow W* —4H **15**
Eliot Clo. *Newp P* —2D **4**
Ellenstow. *Bdwl* —4D **8**
Ellerburn Pl. *Em V* —6E **12**
Ellesborough Gro. *Two M* —5A **8**
Ellisgill Ct. *Hee* —4E **8**
Elm Dri. *Dean* —6A **6**
Elmers Pk. *Blet* —2K **19**
Elm Gro. *Wbrn S* —5C **16**
Elmhurst Clo. *Furz* —5J **13**
Elmridge Ct. *Em V* —7F **13**
Elms, The. *Blet* —2J **19**
Elms, The. *L Buz* —4D **24**
Elm St. *Buck* —4C **26**
Elthorne Way. *Newp P* —4G **5**
Elton. *Woug P* —2C **14**
Emerson Roundabout. *Furz*
  —7G **13**
Emerton Gdns. *Sto S* —3E **6**
Empingham Clo. *Blet* —6C **20**
Emu Clo. *H&R* —5F **23**
Engaine Dri. *Shen C* —3C **12**
Enmore Ga. *Cam P* —5K **9**
Enmore Roundabout. *Cam P*
  —5K **9**
Ennell Gro. *Blet* —5B **20**
Ennerdale Clo. *Blet* —4C **20**

Enterprise La. *Cam P* —5K **9**
Enterprise Way. *L Buz* —6F **25**
Epsom Clo. *Blet* —5C **24**
Epsom Gro. *Blet* —4G **19**
Eriboll Clo. *L Buz* —5A **24**
Erica Rd. *Sta B* —4B **8**
Eridge Grn. *Ken H* —1F **15**
Esk Way. *Blet* —1G **19**
  (in two parts)
Essenden Ct. *Sto S* —3G **7**
Essex Clo. *Blet* —1J **19**
Eston Ct. *Brad* —3D **8**
Etheridge Av. *Brin* —1H **15**
Ethorpe. *Two M* —7B **8**
Eton Cres. *Wol* —2K **7**
Evans Ga. *Oldb* —1H **13**
Evelyn Pl. *Brad* —1D **8**
Everglade. *Eag* —1K **13**
Everley Clo. *Em V* —6F **13**
Exebridge. *Furz* —6F **13**
Exmoor Ga. *Furz* —7H **13**
Eynsham Ct. *Wool* —6B **10**

Fadmoor Pl. *Em V* —6F **13**
Fairfax. *Stan* —2F **9**
Fairford Cres. *Dow P* —2K **9**
Fairways. *Two M* —6K **7**
Fairways Roundabout. *Two M*
  —6K **7**
Falaise Nook. *Bol P* —1A **10**
Falcon Av. *Spfld* —6A **10**
Fallowfield. *L Buz* —4H **25**
Falmouth Pl. *Fish* —7J **9**
Faraday Dri. *Shen L* —5E **12**
Farinton. *Two M* —6C **8**
Farjeon Ct. *Old Fm* —5J **15**
Farmborough. *Neth* —3B **14**
Farnham Ct. *Em V* —7B **8**
Farrier Pl. *Dow B* —3J **9**
Farthing Gro. *Neth* —3A **14**
Faulkner's Way. *L Buz* —4E **24**
Favell Dri. *Furz* —5H **13**
Featherstone Rd. *Wol M* —3H **7**
Fegans Ct. *Sto S* —2E **6**
Felbridge. *Ken H* —2F **15**
Fennel Dri. *Conn* —3H **9**
Fenny Lock Roundabout. *Blet*
  —6D **14**
Fennymere. *Two M* —7A **8**
Fenton Ct. *Gt Hm* —1C **12**
Fernan Dell. *Crow* —2A **12**
Fernborough Haven. *Em V*
  —7F **13**
Ferndale. *Eag* —7A **10**
Fern Gro. *Blet* —5B **20**
Field La. *Grnly* —3J **7**
Field Wlk. *Cen M* —5J **9**
  (in two parts)
Finch Clo. *MKV* —5E **10**
Finch Cres. *L Buz* —6D **24**
Findlay Way. *Blet* —2B **20**
Fingle Dri. *Stone* —1B **8**
Firbank Ct. *L Buz* —6G **25**
Firbank Way. *L Buz* —6F **25**
Fire La. *Newt L* —6G **19**
Firs Path. *L Buz* —2F **25**
First Av. *Blet* —7A **14**
Fishermead Boulevd. *Fish* —7J **9**
Fishermead Roundabout. *Fish*
  —7A **10**
Fishers Field. *Buck* —4B **26**
Fitzhamon Ct. *Wol M* —3H **7**
Flambard Clo. *Bol P* —1K **9**
Flaxbourne Ct. *Wav G* —2H **15**
  (off Isaacson Dri.)

Fleet Clo. *Buck* —2E **26**
Fleet, The. *Spfld* —6A **10**
Fleming Dri. *Neth* —3A **14**
Fletchers M. *Nea H* —2J **9**
Flintergill Ct. *Hee* —4E **8**
Flitton Ct. *Sto S* —3G **7**
Flora Thompson Dri. *Newp P*
  (in three parts)   —1D **4**
Florin Clo. *Pen* —1K **9**
Folly Rd. *Dean* —6A **6**
Fontwell Dri. *Blet* —4F **19**
Forches Clo. *Em V* —7G **13**
Fordcombe Lea. *Ken H* —1F **15**
Ford St. *Buck* —4C **26**
Forest Rise. *Eag* —1A **14**
Forfar Dri. *Blet* —7J **13**
Formby Clo. *Blet* —3F **19**
Forrabury Av. *Bdwl C* —5E **8**
Forscott Rd. *Maid M* —1E **26**
Fortescue Dri. *Shen C* —3D **12**
Fortuna Ct. *Wav G* —3H **15**
Foscot Way. *Buck* —2D **26**
Fosters La. *Bdwl* —5D **8**
  (in three parts)
Founders M. *Nea H* —2J **9**
Fountaine Clo. *Gt Lin* —7C **4**
Fowler. *Stant* —1F **9**
Foxcovert Rd. *Shen W* —5C **12**
Fox Farm Rd. *L Bri* —4J **21**
Foxgate. *Newp P* —3F **5**
Foxhunter Dri. *Lin W* —2G **9**
Fox Milne Roundabout. *MKV*
  —4E **10**
Foxton. *Woug P* —3C **14**
Fox Way. *Buck* —5D **26**
Framlingham Ct. *Shen C* —4D **12**
France Furlong. *Gt Lin* —7D **4**
Francis Ct. *L Buz* —4D **24**
Francis Ct. *Shen C* —3D **12**
Frank Atter Croft. *Wol* —3K **7**
Frankel Gdns. *Newp p* —4G **5**
Franklins Croft. *Wol* —3K **7**
Frankston Av. *Sto S* —3F **7**
Frederick Smith Ct. *Hod L* —4A **8**
Freeman Clo. *Grnly* —3J **7**
Frensham Dri. *Blet* —3B **20**
Friary Gdns. *Newp P* —5G **5**
Friday St. *L Buz* —4E **24**
Frithwood Cres. *Ken H* —2F **15**
Froxfield Ct. *Em V* —1F **19**
Fryday St. *Lead* —2H **13**
Fullers Slade La. *Ful S* —4H **7**
Fulmer St. *Crow* —2A **12**
Fulwoods Dri. *Lead* —1K **13**
Furness Cres. *Blet* —1J **19**
Fury Ct. *Crow* —2C **12**
Furze Ho. *Furz* —7H **13**
Furze Way. *Wol* —2K **7**
Furzton Local Cen. *Furz* —6F **13**
Furzton Roundabout. *Shen L*
  —5E **12**
Fyfield Barrow. *Wal T* —3H **15**
Fyne Dri. *L Buz* —3B **24**

Gables, The. *L Buz* —5D **24**
Gables, The. *Wol* —2A **8**
Gable Thorne. *Wav G* —3J **15**
Gabriel Clo. *Brow W* —4H **15**
Gaddesden Cres. *Wav G* —3H **15**
Gairloch Av. *Blet* —5C **20**
Gallagher Clo. *Crow* —1B **12**
Galley Hill. *Ful S* —3G **7**
Galley La. *Gt Bri* —6F **21**
Galloway Clo. *Blet* —7H **13**
Ganton Clo. *Blet* —1G **19**

Garamonde Dri. *Two M* —5B **8**
Garbo Clo. *Crow* —2A **12**
Garden Hedge. *L Buz* —3F **25**
Garden Leys. *L Buz* —5H **25**
Gardiner Ct. *Blu B* —2B **8**
Garraways. *Cof H* —5K **13**
Garrowmore Gro. *Blet* —5C **20**
Garry Clo. *Blet* —5B **20**
Garston. *Two M* —7C **8**
Garthwaite Cres. *Shen B* —5D **12**
Gaskin Ct. *Dow B* —3K **9**
Gatcombe. *Gt Hm* —7C **8**
Gatewick La. *Cald* —7F **15**
Gawcott Rd. *Buck* —6A **26**
Gayal Croft. *Shen B* —5E **12**
Gemini Clo. *L Buz* —3J **25**
George Farm Clo. *L Bri* —5J **21**
George St. *Blet* —1D **20**
George St. *L Buz* —4G **25**
George Yd. Sto S —3E **6**
 (off High St. Stony Stratford)
Gerard Clo. *Brad* —1D **8**
Germander Pl. *Conn* —4G **9**
Gershwin Ct. *Brow W* —5H **15**
Gibbwin. *Gt Lin* —7B **4**
Gibsons Grn. *Hee* —4E **8**
Giffard Pk. Roundabout. *Gif P*
 —4D **4**
Giffard Rd. *Blet* —4B **20**
Gifford Ga. *Gt Lin* —1H **9**
Gifford Pl. *Buck* —3D **26**
Gig La. *H&R* —5G **23**
Gilbert Clo. *Blet* —3A **20**
Gilbert Scott Rd. *Buck* —2C **26**
Gilders M. *Nea H* —2J **9**
Gillamoor Clo. *Shen B* —6E **12**
Gisburn Clo. *Hee* —3E **8**
Gladstone Clo. *Newp P* —4G **5**
Glamis Ho. *Blet* —3H **19**
Glamorgan Clo. *Blet* —1J **19**
Glastonbury Clo. *Blet* —7K **13**
Glazier Dri. *Nea H* —2J **9**
Glebe Clo. *Loug* —1D **12**
Glebe Clo. *Maid M* —1E **26**
Glebe Rd. *Dean* —6B **6**
Glebe Roundabout. *Cam P*
 —5A **10**
Glebe Ter. *Maid M* —1E **26**
Gledfield Pl. *Hod L* —4A **8**
Gleeman Clo. *Grnly* —3H **7**
Gleneagles Clo. *Blet* —3G **19**
Glenmoors. *Newp P* —4G **5**
Globe La. *L Buz* —2D **24**
Gloucester Rd. *Wol* —3K **7**
Glovers La. *Hee* —4E **8**
Glyn Sq. *Wol* —1C **8**
Glyn St. *New B* —1C **8**
Glynswood Rd. *Buck* —4B **26**
Goathland Croft. *Em V* —7E **12**
Goddards Croft. *Wol* —3K **7**
Godwin Clo. *Wav G* —2H **15**
Golden Dri. *Eag* —1K **13**
Golden Riddy. *L Buz* —3D **24**
Goldilocks. *Wal T* —3G **15**
Goldmark Clo. *Old Fm* —4J **15**
Gold Oak Wlk. Cam P —5J **9**
 (off Silbury Boulevd.)
Goldsmith Dri. *Newp P* —3D **4**
Golspie Croft. *Hod L* —4K **7**
Goodman Gdns. *Woug G*
 —1C **14**
Goodwood. *Gt Hm* —1C **12**
Goran Av. *Sto S* —4F **7**
Gordale. *Hee* —3F **9**
Goring. *Stant* —1F **9**
Gorman Pl. *Blet* —6D **20**

Gorricks. *Sto S* —4E **6**
Goslington. *Blet* —7B **14**
Goudhurst Ct. *Ken H* —2G **15**
Goy Gdns. *H&R* —5F **23**
Grace Av. *Oldb* —1G **13**
Grafham Clo. *Gif P* —7E **4**
Grafton Ga. *Cen M* —6F **9**
Grafton St. *Oldb* —1G **13**
Grafton St. *Stone* —7G **3**
Grampian Ga. *Wint* —2G **13**
Gramwell. *Shen C* —2C **12**
Granby Ct. *Blet* —6K **13**
Granby Ind. Est. *Blet* —6A **14**
Granby Roundabout. *Blet*
 —6A **14**
Granes End. *Gt Lin* —7C **4**
Grange Clo. *L Buz* —5C **24**
Grange Clo. *Maid M* —1D **26**
Grange Ct. *H&R* —4F **23**
Grange Ct. *Wol M* —2G **7**
Grange Farm Roundabout. *Crow*
 —2A **12**
Grange Gdns. *H&R* —4F **23**
Grange Rd. *Blet* —3J **19**
Grangers Croft. *Hod L* —4K **7**
Grantham Ct. *Shen L* —4F **13**
Granville Sq. *Wil* —1B **10**
 (in two parts)
Grasmere Way. *Blet* —4C **20**
Grasmere Way. *L Buz* —4C **24**
Grasscroft. *Furz* —5H **13**
Grassington. *Ban* —3D **8**
Gratton Ct. *Em V* —6F **13**
Graveney Pl. *Spfld* —6A **10**
Gt. Brickhill La. *L Bri* —5J **21**
Greatchesters. *Ban* —3C **8**
Gt. Denson. *Eag* —1K **13**
Gt. Ground. *Gt Lin* —1H **9**
Greathead Dell. *Old Fm* —5J **15**
Gt. Linford Roundabout. *Gt Lin*
 —1J **9**
Gt. Monks St. *Wol M & Two M*
 —2H **7**
Gt. Slade. *Buck* —6C **26**
Greaves Way. *L Buz* —5J **25**
Greaves Way Ind. Est. *L Buz*
 —5J **25**
Green Farm Rd. *Newp P* —3G **5**
Greenfield Rd. *Newp P* —3E **4**
Greenhill. *L Buz* —2F **25**
Greenhill Clo. *Loug* —1C **12**
Greenlands. *L Buz* —3H **25**
Greenlands Clo. *Newp P* —4E **4**
Green La. *Asp G* —5F **17**
Green La. *Wol* —2A **8**
Green La. Roundabout. *Cam P*
 —4A **10**
Greenlaw Pl. *Blet* —6K **13**
Greenleys La. *Grnly* —4J **7**
Greenleys Roundabout. *Wol M*
 —2J **7**
Green Pk. Dri. *Newp P* —4F **5**
Green, The. *Cosg* —5B **2**
 (in two parts)
Green, The. *Dean* —7B **6**
Green, The. *Loug* —1D **12**
Green, The. *Newp P* —3G **5**
Green, The. *Woug G* —1B **14**
 (in two parts)
Green Way. *Newt L* —6G **19**
Greenways. *Bow B* —7H **15**
Greenway Wlk. *Buck* —3E **26**
Greenwich Gdns. *Newp P* —5F **5**
Gregories Dri. *Wav G* —3J **15**
Grenville Rd. *Buck* —3B **26**
Greys, The. *Woug G* —1B **14**

Greystonley. *Em V* —7F **13**
Griffith Ga. *MKV* —5F **11**
Griffon Clo. *Eag* —1K **13**
Grimbald Ct. *Wil* —1B **10**
Grizedale. *Hee* —3E **8**
Groombridge. *Ken H* —2F **15**
Grosmont Clo. *Em V* —7E **12**
Groundsel Clo. *Wal T* —3G **15**
Grove Ash. *Blet* —6C **14**
Grovebury Pl. Est. *L Buz*
 —6G **25**
Grovebury Rd. *L Buz* —7E **24**
 (in two parts)
Grovebury Rd. Ind. Est. *L Buz*
 —6F **25**
 (in two parts)
Grove Pl. *L Buz* —5F **25**
Grove Rd. *L Buz* —5F **25**
Grovesbrook. *Bow B* —7H **15**
Grove, The. *Blet* —2K **19**
Grove, The. *Bdwl* —4D **8**
Grove, The. *Newp P* —4F **5**
Groveway. *Ash & Wltn* —5A **14**
Groveway. *Redm* —6K **13**
Groveway. *Wav G* —2H **15**
Guest Gdns. *New B* —7K **3**
Gundale Ct. *Em V* —7E **12**
Gunmaker Ct. *Nea H* —2J **9**
Gurnards Av. *Fish* —6J **9**
Gurney Clo. *Loug* —2D **12**
Gwynant Ct. *Blet* —7C **20**

Haberley Mead. *Bdwl* —5E **8**
Haddington Clo. *Blet* —7H **13**
Haddon. *Gt Hm* —1C **12**
Hadley Pl. *Bdwl C* —6F **9**
Hadrians Dri. *Ban* —3C **8**
Hainault Av. *Gif P* —6E **4**
Haithewaite. *Two M* —7A **8**
Haldene. *Two M* —6B **8**
Hale Av. *Sto S* —3F **7**
Hall Clo. *Maid M* —1E **26**
Haltonchesters. *Ban* —2C **8**
Haly Clo. *Bdwl* —4D **8**
Hambleton Gro. *Em V* —7E **12**
Hamburgh Croft. *Shen B* —6E **12**
Hamilton La. *Blet* —4F **19**
Hamlins. *Cof H* —5K **13**
Hammerwood Ga. *Ken H*
 —2F **15**
Hammond Cres. *Wil P* —2A **10**
Hampson Clo. *Bdwl* —3D **8**
Hampstead Ga. *Bdwl C* —5F **9**
Hampton. *Gt Hm* —1D **12**
Handel Mead. *Old Fm* —4K **15**
Hanmer Rd. *Simp* —4D **14**
Hanover Ct. *L Buz* —4C **24**
Hanover Ct. *Stant* —1G **9**
Hanscomb Clo. *Wool* —6B **10**
Hanslope Rd. *Cast* —1B **2**
Harborne Ct. *Two M* —6K **7**
Harby Clo. *Em V* —1F **19**
Harcourt. *Bdwl* —5D **8**
Harcourt Clo. *L Buz* —4D **24**
Harding Rd. *Brin* —1H **15**
Hardwick Pl. *Wbrn S* —5C **16**
Hardwick Rd. *Wbrn S* —5C **16**
Harebell Clo. *Wal T* —4G **15**
Hare Clo. *Buck* —5D **26**
Hareden Croft. *Em V* —7E **12**
Hargreaves Nook. *Blak* —5E **4**
Harkness Clo. *Blet* —4C **20**
Harlans Clo. *Eag* —1A **14**
Harlech Pl. *Blet* —3H **19**
Harlestone Ct. *Gif P* —6E **4**
Harmill Ind. Est. *L Buz* —6F **25**

Harmony Row. *L Buz* —6K **25**
Harnett Dri. *Wol M* —2G **7**
Harpers La. *Gt Lin* —7D **4**
Harrier Ct. *Eag* —1K **13**
Harrier Dri. *Eag* —1K **13**
Harrison Clo. *Know* —3G **13**
Harrowden. *Brad* —1E **8**
Harrow Rd. *L Buz* —5G **25**
Hartdames. *Shen B* —6D **12**
Hartfield Clo. *Ken H* —1F **15**
Hartington Gro. *Em V* —6E **12**
Hartley. *Gt Lin* —7C **4**
Hartwell Cres. *L Buz* —4F **25**
Hartwell Gro. *L Buz* —4F **25**
Hartwort Clo. *Wal T* —3G **15**
Harvard Clo. *Gif P* —5D **4**
Harvester Clo. *Grnly* —3J **7**
Harwood St. *New B* —1D **8**
Hasgill Ct. *Hee* —4E **8**
Haslow Ct. *Two M* —5B **8**
Hastings. *Sto S* —3F **7**
Hatchlands. *Gt Hm* —7C **8**
Hathaway Clo. *Crow* —2B **12**
Hatton. *Tin B* —3C **14**
Hauksbee Gdns. *Shen L* —4G **13**
Haversham Rd. *Hans* —7F **3**
Haversham Roundabout. *Hav*
 —7F **3**
Hawkins Clo. *Sto S* —3E **6**
Hawkmoor Clo. *Eag* —1A **14**
Hawkridge. *Furz* —6H **13**
Hawkwell Est. *Old S* —1C **6**
Hawthorn Av. *Blet* —2D **20**
Hawthorne Clo. *L Buz* —3D **24**
Haydock Clo. *Blet* —4F **19**
Hayes Rd. *Dean* —4A **6**
Haynes Clo. *Bow B* —7J **15**
Haythrop Clo. *Dow P* —2A **10**
Haywards Croft. *Grnly* —3J **7**
Hazel Gro. *Blet* —3C **20**
Hazelwood. *Gt Lin* —7D **4**
Hazley Wlk. *Buck* —3E **26**
Heaney Clo. *Newp P* —2E **4**
Hearne Pl. *Oldb* —1J **13**
Heath Clo. *Wbrn S* —6D **16**
Heath Ct. *L Buz* —7D **22**
Heather Bank. *Wbrn S* —7C **16**
Heathercroft. *Gt Lin* —1H **9**
Heathfield. *Sta B* —4B **8**
Heath Grn. *H&R* —5F **23**
Heath Pk. Dri. *L Buz* —1F **25**
Heath Pk. Rd. *L Buz* —7F **23**
Heath Rd. *Gt Bri & Stoc* —1C **22**
Heath Rd. *L Buz* —3F **25**
Heath, The. *L Buz* —7D **22**
Heathwood Clo. *L Buz* —7F **23**
Hedgerows, The. *Furz* —5H **13**
Hedges Ct. *Shen C* —3E **8**
Hedingham Ct. *Shen C* —4D **12**
Hele Ct. *Cald* —6G **15**
Helford Pl. *Fish* —7K **9**
Helston Pl. *Fish* —7J **9**
Hemingway Clo. *Newp P* —3D **4**
Henders. *Sto S* —3F **7**
Hendrix Dri. *Crow* —2A **12**
Hepleswell. *Two M* —7B **8**
Hercules Clo. *L Buz* —3H **25**
Herdman Clo. *Grnly* —3J **7**
Herriot Clo. *Newp P* —2E **4**
Hertford Pl. *Blet* —7J **13**
Hetton Clo. *Hee* —4F **9**
Hexham Gdns. *Blet* —4G **19**
Heybridge Cres. *Cald* —6F **15**
Heydon Ct. *Brad* —1D **8**
Hide, The. *Neth* —4B **14**

Higgs Ct. *Loug* —1D **12**
Highbury La. *Cam P* —5K **9**
Highcroft. *L Buz* —5H **25**
Highfield Clo. *Blet* —7K **13**
Highfield Clo. *Newp P* —3J **5**
Highfield Cres. *Brog* —1K **17**
Highfield Rd. *L Buz* —4H **25**
Highgate Over. *Wal T* —2G **15**
Highgrove Hill. *Gt Hm* —1C **12**
High Halden. *Ken H* —1G **15**
Highland Clo. *Blet* —6J **13**
Highlands Rd. *Buck* —2D **26**
High Pk. Dri. *Wol M* —2H **7**
High St. Buckingham, *Buck*
—3C **26**
High St. Deanshanger, *Dean*
—7B **6**
High St. Great Linford, *Gt Lin*
—6C **4**
High St. Haversham, *Hav* —5H **3**
High St. Leighton Buzzard, *L Buz*
—4E **24**
High St. New Bradwell, *New B*
—1C **8**
High St. Newport Pagnell,
Newp P —3G **5**
High St. Stony Stratford, *Sto S*
—2D **6**
High St., The. *Two M* —6K **7**
High St. Woburn Sands, *Wbrn S*
—5C **16**
High Trees. *Eag* —1A **14**
High View. *Dean* —6A **6**
Hillcrest Clo. *Loug* —3E **12**
Hillcrest Rise. *Buck* —6D **26**
Hillcrest Way. *Buck* —7D **26**
Hillesden Way. *Buck* —3D **26**
Hilliard Dri. *Bdwl* —5D **8**
Hills Clo. *Gt Lin* —1H **9**
Hillside Rd. *L Buz* —1F **25**
Hilltop Av. *Buck* —2D **26**
Hill View. *Newp P* —4E **4**
Hillway. *Wbrn S* —3B **16**
Hillyer Ct. *Pear B* —7B **10**
Himley Grn. *L Buz* —5B **24**
Hindemith Gdns. *Old Fm* —4J **15**
Hindhead Knoll. *Wal T* —3G **15**
Hinton Clo. *L Buz* —4J **25**
Hoathley M. *Ken H* —1G **15**
Hobart Cres. *Wil P* —2A **10**
Hockliffe Brae. *Wal T* —4G **15**
Hockliffe Rd. *L Buz* —4G **25**
Hockliffe St. *L Buz* —4F **25**
Hodder La. *Em V* —7F **13**
Hodge Lea La. *Hod L* —4K **7**
Hodgemore Ct. *Gif P* —5D **4**
Hogarths Ct. *Gt Hm* —7C **8**
Holdom Av. *Blet* —7C **14**
Holland Way. *Newp P* —4G **5**
Holliday Clo. *Crow* —3B **12**
Hollin La. *Sta B* —4B **8**
Hollinwell Clo. *Blet* —1G **19**
Holloway Dri. *Buck* —2D **26**
Holly Clo. *Crow* —3B **12**
Holly Wlk. *Wbrn S* —7C **16**
Holmewood. *Furz* —5H **13**
Holmfield Clo. *Tin B* —4D **14**
Holm Ga. *Lough* —1D **12**
Holst Cres. *Brow W* —5H **15**
Holton Hill. *Em V* —7F **13**
Holton Rd. *Buck* —2C **26**
Holts Grn. *Gt Bri* —1B **22**
Holt, The. *Buck* —5D **26**
Holyhead Cres. *Tat* —2F **19**
Holyrood. *Gt Hm* —1B **12**
Holy Thorn La. *Shen C* —4D **12**

Holywell Pl. *Spfld* —6B **10**
Home Clo. *Blet* —7K **13**
Home Farm. *Newt L* —6G **19**
Homefield. *Cald* —6F **15**
Homeground. *Buck* —6D **26**
Homestall. *Buck* —7C **26**
Homestall Clo. *Loug* —2D **12**
Homestead, The. *Shen C*
—3D **12**
Homeward Ct. *Loug* —2D **12**
Honeypot Clo. *Bdwl* —4E **8**
Honiton Ct. Wav G —2H **15**
(off Isaacson Dri.)
Hooke, The. *Wil* —1C **10**
Hooper Ga. *Wil* —1B **10**
Hopkins Clo. *MKV* —6F **11**
Hoppers Meadow. *Loug* —1D **12**
Hornbeam. *Newp P* —4E **4**
Hornbeam Clo. *L Buz* —3H **25**
Hornby Chase. *Em V* —7E **12**
Horners Croft. *Wol* —3K **7**
Horn La. *Sto S* —3E **6**
Horsefair Grn. *Sto S* —3E **6**
Horsepool La. *Hus C* —5H **17**
Horton Ga. *Gif P* —5D **4**
Horwood Ct. *Blet* —7C **14**
Hospital Roundabout. *Neth*
—3A **14**
Houghton Ct. *Gt Hm* —1C **12**
Housman Clo. *Newp P* —2E **4**
Howard Way. *Int P* —4K **5**
Hoylake Clo. *Blet* —3G **19**
Hubbard Clo. *Buck* —3E **26**
Huckleberry Clo. *Wal T* —3G **15**
Hudson La. *Crow* —2A **12**
Humber Way. *Blet* —1H **19**
Hungerford Ho. Em V —1G **19**
(off Eastbury Ct.)
Hunsdon Clo. *Stant F* —2G **9**
Hunstanton Way. *Blet* —2G **19**
Hunter Dri. *Blet* —3B **20**
Hunters Reach. *Bdwl* —5D **8**
Hunter St. *Buck* —5B **26**
Huntingbrooke. *Gt Hm* —1C **12**
Huntingdon Cres. *Blet* —4F **19**
Huntsman Gro. *Blak* —5E **4**
Hurlstone Gro. *Furz* —6G **13**
Hutchings Clo. *Loug* —1D **12**
Hutton Av. *Oldb* —7H **9**
Hutton Way. *Wbrn S* —4C **16**
Huxley Clo. *Newp P* —3D **4**
Hyde Clo. *Newp P* —5G **5**
Hydrus Dri. *L Buz* —3J **25**
Hythe, The. *Two M* —5A **8**

Ibstone Av. *Bdwl C* —4F **9**
Illingworth Pl. *Oldb* —1J **13**
Ingleton Clo. *Hee* —4F **9**
Innholder Ct. *Nea H* —2J **9**
Inverness Clo. *Blet* —7J **13**
Ireland Clo. *Brow W* —5J **15**
Ironmonger Ct. *Nea H* —2J **9**
Irving Dale. *Old Fm* —4K **15**
Isaacson Dri. *Wav G* —2H **15**
Isis Wlk. *Blet* —1H **19**
Isis Wlk. *L Buz* —5D **24**
Islingbrook. *Shen B* —6E **12**
Ivester Ct. *L Buz* —5D **24**
Ivy Clo. *Brad* —1J **5**
Ivy La. *Gt Bri* —3B **22**
Ivy La. *Newt L* —7F **19**

Jacobs Clo. *Stant* —1G **9**
Jamaica. *Cof H* —3K **13**

James Way. *Blet* —1A **20**
Japonica La. *Wil P* —2B **10**
Jeeves Clo. *Pear B* —2B **14**
Jenkins Clo. *Shen C* —4C **12**
Jenna Way. *Int P* —4K **5**
Jennings. *Stant* —1F **9**
Jersey Rd. *Wol* —1K **7**
John Horncapps La. *Gt Bri*
—7H **21**
Johnston Pl. *Oldb* —1H **13**
Jonathans. *Cof H* —2K **13**
Jonathans Ct. *Cof H* —3K **13**
Joules Ct. *Shen L* —4F **13**
Jubilee Ter. *Sto S* —3F **7**
Judges La. *L Buz* —5E **24**
Juniper Gdns. *Wal T* —2G **15**
Jupiter Dri. *L Buz* —3J **25**

Kalman Gdns. *Old Fm* —4J **15**
Kaplan Clo. *Shen L* —4E **12**
Katrine Pl. *Blet* —5C **20**
Keasden Ct. *Em V* —7E **12**
Keaton Clo. *Crow* —2A **12**
Keats Clo. *Newp P* —3E **4**
Keats Way. *Blet* —3J **19**
Kellan Dri. *Fish* —7K **9**
Kelso Clo. *Blet* —4G **19**
Kelvin Dri. *Know* —3F **13**
Kemble Ct. *Dow P* —2A **10**
Kempton Gdns. *Blet* —4G **19**
Kenchester. *Ban* —3C **8**
Kendal Gdns. *L Buz* —4B **24**
Kenilworth Dri. *Blet* —3H **19**
Kennet Dri. *Blet* —2H **19**
Kennet Pl. *Blet* —2J **19**
Kennington Clo. *Newp P* —4F **5**
Kensington Dri. *Gt Hm* —7C **8**
Kents Hill Roundabout. *Ken H*
—1E **14**
Kents Rd. *Stant* —7B **4**
Kenwell Ct. *Wool* —5B **10**
Kenwood Ga. *Spfld* —5A **10**
Keppel Av. *Hav* —5F **3**
Kepwick. *Two M* —7B **8**
Kercroft. *Two M* —6B **8**
Kernow Cres. *Fish* —7K **9**
Kerria Pl. *Blet* —6K **13**
Kersey. *Stant* —7A **4**
Kestrel Way. *Buck* —5D **26**
Ketelby Nook. *Old Fm* —4J **15**
Ketton Clo. *Wil* —7H **5**
Kew Ct. *Old Fm* —7C **8**
Keyes Way. *Buck* —2D **26**
Keynes Clo. *Newp P* —3J **5**
Khasiaberry. *Wal T* —4G **15**
Kidd Clo. *Crow* —3B **12**
Kildonan Pl. *Hod L* —4A **8**
Kiln Farm Ind. Est. *Kil F* —5K **7**
Kiln Farm Roundabout. *Ful S*
—5H **7**
Kimbolton Ct. *Gif P* —7E **4**
Kincardine Dri. *Blet* —6J **13**
Kindleton. *Gt Lin* —7D **4**
King Charles Clo. *Buck* —2D **26**
King Edward St. *New B* —1C **8**
Kingfisher Rd. *Buck* —5D **26**
King George Cres. *Sto S* —2F **7**
Kingsbridge. *Furz* —7G **13**
Kingsfold. *Brad* —1E **8**
Kingsley Clo. *Newp P* —3D **4**
Kingsmead Roundabout. *Kgsmd*
—2C **18**
Kingston Av. *Sto S* —3F **7**
Kingston Roundabout. *Wav*
—1J **15**

King St. *L Buz* —3F **25**
King St. *Sto S* —2F **7**
Kinloch Pl. *Blet* —5C **20**
Kinnear Clo. *Crow* —2A **12**
Kinross Dri. *Blet* —7H **13**
Kipling Dri. *Newp P* —3D **4**
Kipling Rd. *Blet* —3K **19**
Kirkeby Clo. *Stant F* —2G **9**
Kirke Clo. *Shen C* —4D **12**
Kirkstall Pl. *Oldb* —1G **13**
Kirtlington. *Dow P* —3A **10**
Kite Hill. *Eag* —1A **14**
Kiteley's Grn. *L Buz* —3H **25**
Knapp Ga. *Shen C* —2C **12**
Knaves Hill. *L Buz* —3C **24**
Knebworth Ga. *Gif P* —6E **4**
Knebworth Roundabout. *Blak*
—6E **4**
Knights Clo. *Gt Bri* —1C **22**
Knowles Grn. *Blet* —3B **20**
Knowl Ga. *Lough* —2F **13**
Knowlhill Roundabout. *Know*
—3F **13**
Knox Bri. *Ken H* —1G **15**
Krohn Clo. *Buck* —4E **26**
Krypton Clo. *Shen L* —4F **13**

Laburnum Ct. *L Buz* —4E **24**
Laburnum Gro. *Blet* —3D **20**
Lacy Dri. *Bol P* —1K **9**
(in two parts)
Laggan Ct. *Blet* —6C **20**
Lagonda Clo. *Newp P* —3J **5**
Laidon Clo. *Blet* —6C **20**
Laker Ct. *Oldb* —2H **13**
Lakeside Roundabout. *Wool*
—4B **10**
Lakes La. *Newp P* —1D **4**
Lake St. *L Buz* —4F **25**
Lamb Clo. *Newp P* —3E **4**
Lamberhurst Gro. *Ken H* —1F **15**
Lamberts Croft. *Grnly* —3K **7**
Lamb La. *Wav G* —2H **15**
Lambourn Ct. *Em V* —7G **13**
Lammas. *Bean* —4K **13**
(in four parts)
Lammas Wlk. *L Buz* —4F **25**
Lampitts Cross. *Eag* —3A **14**
Lamport Ct. *Gt Hm* —1D **12**
Lamva Ct. *Sto S* —3G **7**
Lancaster Ga. *Blet* —3H **19**
Landsborough Ga. *Wil* —1B **10**
Lane's End. *H&R* —6F **23**
Lanfranc Gdns. *Bol P* —1A **10**
Langcliffe Dri. *Hee* —4E **8**
Langdale Clo. *Blet* —6C **20**
Langland Rd. *Neth* —3B **14**
Langton Dri. *Two M* —5B **8**
Lannercost Cres. *Monk* —7G **11**
Lanner Wlk. Eag —1A **14**
(off Montagu Dri.)
Lanthorn Clo. *Nea H* —2H **9**
Larch Gro. *Blet* —3C **20**
Lark Clo. *Buck* —5D **26**
Larkin Clo. *Newp P* —2E **4**
Larkspur Av. *Conn* —3H **9**
Larwood Pl. *Oldb* —7J **9**
Lasborough Rd. *Kgstn* —7H **11**
Lascelles Clo. *Bol P* —1A **10**
Laser Clo. *Shen L* —3F **13**
Lastingham Gro. *Em V* —7E **12**
Latimer. *Sto S* —4F **7**
Launceston Ct. *Shen C* —3E **12**
Launde. *Monk* —7G **11**
Laurel Clo. *Crow* —2A **12**

Laurels, The. *Blet* —1C **20**
Lavender Gro. *Wal T* —4F **15**
Lawnsmead Gdns. *Newp P*
    —2H **5**
Lawrence Wlk. *Newp P* —2D **4**
Leaberry. *New B* —7J **3**
Leadenhall Roundabout. *Lead*
    —2H **13**
Leafield Rise. *Two M* —6A **8**
Leasowe Pl. *Bdwl C* —5F **9**
Ledburn Gro. *L Buz* —5D **24**
Ledbury. *Gt Lin* —6B **4**
Leedon Furlong. *L Buz* —4H **25**
Leigh Hill. *Em V* —7G **13**
Leighton Rd. *H&R* —6F **23**
Leighton Rd. *L Buz* —4E **24**
    (Central Leighton Buzzard)
Leighton Rd. *L Buz* —3J **25**
    (East Leighton Buzzard)
Leighton Rd. *L Buz* —5K **25**
    (Leedon)
Leighton Rd. *Soul* —2A **24**
Leighton Rd. *Wing* —7A **24**
Lenborough Clo. *Buck* —5B **26**
Lenborough Ct. *Wool* —6B **10**
Lenborough Rd. *Buck* —5B **26**
Lennon Dri. *Crow* —2B **12**
Lennox Rd. *Blet* —2B **20**
Lenthall Clo. *Bdwl* —4D **8**
Leominster Ga. *Monk* —7F **11**
Leon Av. *Blet* —2C **20**
Leopard Dri. *Pen* —2K **9**
Leopold Rd. *L Buz* —4C **24**
Lester Ct. *Wav G* —2H **15**
Leven Clo. *Blet* —5C **20**
Leven Clo. *L Buz* —4A **24**
Lewes Ho. *Blet* —3G **19**
    (off Chester Clo.)
Lewis Clo. *Newp P* —2D **4**
Leyland Pl. *Oldb* —7H **9**
Leys Rd. *Loug* —1E **12**
Leys, The. *Wbrn S* —5C **16**
Lichfield Down. *Wal T* —3G **15**
Lightfoot Ct. *Wltn P* —4E **14**
Lilac Clo. *Newt L* —7F **19**
Lime Av. *Buck* —5E **26**
Lime Clo. *Newp P* —3F **5**
Lime Gro. *L Buz* —3D **24**
Lime Gro. *Wbrn S* —5C **16**
Limerick La. *Spfld* —5A **10**
Limes, The. *Blet* —2D **20**
Limes, The. *Sto S* —3F **7**
Linceslade Gro. *Loug* —1D **12**
Lincoln. *Stant* —7A **4**
Lincombe Slade. *L Buz* —3D **24**
Linden Gro. *Gt Lin* —7C **4**
Lindisfarne Dri. *Monk* —7F **11**
Linford Av. *Newp P* —2E **4**
Linford La. *Wil* —1C **10**
Linford La. *Wool* —5B **10**
Lingfield. *Sta B* —4B **8**
Linslade Rd. *H&R* —6E **22**
Lintlaw Pl. *Blet* —6K **13**
Linton Clo. *Hee* —4F **9**
Linwood Gro. *L Buz* —5G **25**
Linx, The. *Blet* —7K **13**
Lipscombe Dri. *Buck* —3D **26**
Lipscomb La. *Shen C* —2D **12**
Lissel Rd. *Simp* —4D **14**
Lit. Balmer. *Buck* —6D **26**
Lit. Brickhill La. *Gt Bri* —1C **22**
Littlecote. *Gt Hm* —7D **8**
Lit. Habton. *Em V* —7E **12**
Lit. Hame. *MKV* —5E **10**
Lit. Linford La. *Newp P* —2A **4**

Lit. London. *Dean* —7B **6**
Lit. Meadow. *Loug* —3E **12**
Littlemere. *Two M* —7A **8**
Lit. Stanton. *Stant* —1G **9**
Lit. Stocking. *Shen B* —6D **12**
Livesey Hill. *Shen L* —4E **12**
Lloyds. *Cof H* —2K **13**
Lloyd's Ct. *Cen M* —5H **9**
Lochy Dri. *L Buz* —4B **24**
Locke Rd. *Blet* —2B **20**
Lock La. *Cosg* —5A **2**
Lockton Ct. *Em V* —6E **12**
Lock View Cotts. *Blet* —1D **20**
    (off Lock View La.)
Lock View La. *Blet* —1D **20**
Lodge Ga. *Gt Lin* —1H **9**
Lodge Pk., The. *Newp P* —3G **5**
Lodge Roundabout. *Gt Hm*
    —7C **8**
Lomond Dri. *Blet* —7B **20**
Lomond Dri. *L Buz* —4A **24**
London End. *Newt L* —6G **19**
London End La. *Bow B* —1J **21**
London Rd. *Brou* —3F **11**
London Rd. *Buck* —4C **26**
London Rd. *Loug* —2D **12**
London Rd. *Newp P* —5K **5**
London Rd. *Old S* —1K **19**
Long Ayres. *Cald* —6F **15**
Longcross. *Pen* —2K **9**
Longfellow Dri. *Newp P* —3E **4**
Longhedge. *Cald* —7F **15**
Longleat Ct. *Gt Hm* —7C **8**
Longville. *Old W* —1J **7**
Lords Clo. *Blet* —1B **20**
Loriner Pl. *Dow B* —2K **9**
Loseley Ct. *Gt Hm* —7C **8**
Lothersdale. *Hee* —3E **8**
Lothian Clo. *Blet* —7H **13**
Loughton Rd. *Bdwl* —4D **8**
Loughton Roundabout. *Gt Hm*
    —1C **12**
Lovat Meadow Cvn. Site. *Newp P*
    —4J **5**
Lovat St. *Newp P* —3G **5**
Lovatt Dri. *Blet* —2G **19**
Lovent Dri. *L Buz* —4G **25**
Lwr. Eighth St. *Cen M* —6H **9**
Lwr. End Rd. *Wav* —1A **16**
Lwr. Fourth St. *Cen M* —7G **9**
Lwr. Ninth St. *Cen M* —6H **9**
Lwr. Second St. *Cen M* —7G **9**
Lwr. Stonehayes. *Gt Lin* —1J **9**
Lwr. Tenth St. *Cen M* —6H **9**
Lwr. Third St. *Cen M* —7G **9**
Lwr. Twelfth St. *Cen M* —5J **9**
Lower Way. *Gt Bri* —1B **22**
Lowland Rd. *Tat* —2F **19**
Lownes Gro. *Shen C* —2C **12**
Loxbeare Dri. *Furz* —5F **13**
Loyne Clo. *L Buz* —3B **24**
Lucas Pl. *Woug G* —1C **14**
Luccombe. *Furz* —6G **13**
Lucy La. *Loug* —1E **12**
Ludgate. *Lead* —2H **13**
Ludlow Clo. *Blet* —3J **19**
Lufford Pk. *Gt Lin* —6D **4**
Lullingstone Dri. *Ban P* —3B **8**
Lundholme. *Hee* —3E **8**
Luttlemarsh. *Wltn P* —4E **14**
Lutyens Gro. *Old Fm* —4J **15**
Lydiard. *Gt Hm* —7B **8**
Lynmouth Cres. *Furz* —5F **13**
Lynott Clo. *Crow* —3B **12**
Lyon Rd. *Blet* —7A **14**
Lyra Gdns. *L Buz* —3J **25**

Lywood Rd. *L Buz* —5H **25**

McConnell Dri. *Wol* —1A **8**
McKenzie Clo. *Buck* —4C **26**
Maclaren Ct. *Oldb* —1J **13**
Magdalen Clo. *Sto S* —2E **6**
Magdalen Ct. *Sto S* —2E **6**
Magenta Clo. *Blet* —4C **20**
Mahler Clo. *Brow W* —4H **15**
Maidenhead Av. *Bdwl C* —5F **9**
Maids Moreton Av. *Buck* —3C **26**
Maidstone Rd. *Kgstn* —6H **11**
Main St. *Cosg* —5A **2**
Main St. *Maid M* —1D **26**
Malbons Ct. *Lead* —2H **13**
Malins Ga. *Gt Lin* —7C **4**
Mallard Dri. *Buck* —4D **26**
Malletts Clo. *Sto S* —3F **7**
Mallow Ga. *Conn* —4H **9**
Malvern Dri. *Ful S* —4G **7**
Malvern Dri. *L Buz* —3B **24**
Mandeville Dri. *Kgstn* —6H **11**
Manifold La. *Shen B* —6D **12**
Manor Clo. *Cosg* —5A **2**
Manor Clo. *MKV* —5E **10**
Manor Ct. *L Buz* —1C **24**
Manor Dri. *Hav* —5G **3**
Manorfields Rd. *Old S* —2E **6**
Manor Gdns. *Maid M* —2D **26**
Manor Pk. *Maid M* —1E **26**
Manor Pk. Est. *Maid M* —1E **26**
Manor Rd. *Blet* —3C **20**
Manor Rd. *Newp P* —3E **4**
Manor Rd. *Newt L* —7G **19**
Manor Rd. *Old W* —1J **7**
Manor St. *Buck* —4B **26**
Manse Clo. *Sto S* —2E **6**
Mansel Clo. *Cosg* —5A **2**
Mansell Clo. *Shen C* —3D **12**
Manshead Ct. *Sto S* —3G **7**
Mapledean. *Sta B* —4B **8**
Mapledurham. *Cald* —6G **15**
Maple Gro. *Blet* —2D **20**
Maple Gro. *Wbrn S* —5B **16**
March Meadow. *Wav G* —2J **15**
Mardle Rd. *L Buz* —5D **24**
Maree Clo. *Blet* —5B **20**
Maree Clo. *L Buz* —4B **24**
Mare Leys. *Buck* —4E **26**
Marigold Pl. *Conn* —4H **9**
Marina Dri. *Wol* —3A **8**
Marina Roundabout. *Neth*
    —2B **14**
Marjoram Pl. *Conn* —3H **9**
Market Hill. *Buck* —3C **26**
Market Hill. *Eag* —1A **14**
Market Sq. *Buck* —3C **26**
Market Sq. *L Buz* —4F **25**
Market Sq. *Sto S* —3E **6**
Markhams Ct. *Buck* —4C **26**
Marlborough Ga. *Cen M* —5J **9**
Marlborough Roundabout. *Stant*
    —7K **3**
Marlborough St. *Cen M & Spfld*
    —4J **9**
Marlborough St. *Stant* —7A **4**
Marley Fields. *L Buz* —5J **25**
Marley Gro. *Crow* —2B **12**
Marlow Dri. *Newp P* —3E **4**
Marram Clo. *Bean* —4K **13**
Marron La. *Wol* —3K **7**
Marshall Ct. Ind. Est. *Blet*
    —1A **20**
Marshalls La. *Wool* —6B **10**
Marsh Dri. *Gt Lin* —6D **4**

Marsh Edge. *Buck* —3D **26**
Marsh End Rd. *Newp P* —3G **5**
Marshworth. *Tin B* —3C **14**
Martin Clo. *Buck* —5E **26**
Martin Clo. *Nea H* —2H **9**
Martingale Pl. *Dow B* —3J **9**
Martins Dri., The. *L Buz* —3E **24**
Marwood Clo. *Furz* —6G **13**
Maryland Rd. *Tong* —7F **5**
Mary MacManus Dri. *Buck*
    —3C **26**
Masefield Clo. *Newp P* —3E **4**
Masefield Gro. *Blet* —3K **19**
Maslin Dri. *Bean* —4A **14**
Mason. *Stant* —7A **4**
Massie Clo. *Wil P* —2A **10**
Mathiesen Rd. *Brad* —2D **8**
Matilda Gdns. *Shen C* —3E **12**
Matthew Ct. *Shen C* —3E **12**
Maudsley Clo. *Shen L* —3F **13**
Maulden Gdns. *Gif P* —7E **4**
Maxham. *Shen B* —6D **12**
Maxwell Dri. *L Buz* —4A **24**
Maydfitch Pl. *Bdwl C* —5F **9**
Mayer Dri. *Shen L* —4F **13**
Maynard Clo. *Bdwl* —5D **8**
Meadow Gdns. *Buck* —6D **26**
Meadow La. *MKV* —5F **11**
Meadowsweet. *Wal T* —4G **15**
Meadow Wlk. *Buck* —3C **26**
Meadow Way. *L Buz* —4J **25**
Meads Clo. *New B* —7J **3**
Meadway. *Buck* —6C **26**
Meadway. *L Buz* —4H **25**
    (Leedon)
Meadway. *L Buz* —2H **25**
    (Leighton Buzzard)
Meadway, The. *Loug* —2D **12**
Medale Rd. *Bean* —4K **13**
Medbourne Roundabout. *Crow*
    —3B **12**
Medeswell. *Furz* —6H **13**
Medhurst. *Two M* —6B **8**
Medland. *Woug* —2C **14**
Medway Clo. *Newp P* —4J **5**
Melbourne Ter. *Brad* —1D **8**
Melfort Dri. *Blet* —6C **20**
Melfort Dri. *L Buz* —4A **24**
Melick Rd. *Bean* —5A **14**
Mellish Ct. *Blet* —7K **13**
Melrose Av. *Blet* —7J **13**
Melton. *Stant* —7A **4**
Mendelssohn Gro. *Brow W*
    —5H **15**
Mentieth Clo. *Blet* —5B **20**
Mentmore Ct. *Gt Hm* —1C **12**
Mentmore Gdns. *L Buz* —6D **24**
Mentmore Rd. *L Buz* —7D **24**
Mentone Av. *Asp G* —5E **26**
Menzies Ct. *Shen L* —5B **12**
Mercers Dri. *Brad* —1E **8**
Mercury Gro. *Crow* —2B **12**
Mercury Way. *L Buz* —3J **25**
Meriland Ct. *Blet* —6D **20**
Merlewood Dri. *Shen W* —5B **12**
Merlins Ct. *L Buz* —4F **25**
    (off Beaudesert)
Merlin Wlk. *Eag* —1A **14**
Mersey Clo. *Blet* —1H **19**
Mersey Way. *Blet* —1H **19**
Merthen Gro. *Tat* —2E **18**
Merton Dri. *Redm* —5K **13**
Metcalfe Gro. *Blak* —5F **5**
Michigan Dri. *Tong* —6D **5**
Mickleton. *Dow P* —2K **9**
Middlefield Clo. *Buck* —3D **26**
Middle Grn. *L Buz* —3H **25**

Middlesex Dri. *Blet* —1J **19**
Middle Slade. *Buck* —6C **26**
Middleton. *Gt Lin* —1H **9**
Middleton Hall. *Cen M* —5J **9**
Midsummer Arc. *Cen M* —6H **9**
Midsummer Boulevd. *Cen M*
—7G **9**
Midsummer Roundabout. *Cen M*
—7F **9**
Mikern Clo. *Blet* —2B **20**
Milburn Av. *Oldb* —1H **13**
Milebush. *L Buz* —3B **24**
Milecastle. *Ban* —3D **8**
Miles Av. *L Buz* —3G **25**
Miles Clo. *Blak* —4E **4**
Milesmere. *Two M* —7A **8**
Miletree Ct. *L Buz* —3G **25**
Mile Tree Rd. *H&R* —7J **23**
Milfoil Av. *Conn* —4G **9**
Milford Av. *Sto S* —4E **6**
Millbank. *L Buz* —3E **24**
Millbank Pl. *Ken H* —1G **15**
Mill Ct. *Wol M* —3H **7**
Millers Clo. *L Buz* —4J **25**
Millers Way. *Mil K* —5H **7**
Millhayes. *Gt Lin* —7D **4**
Millington Ga. *Wil* —7H **5**
Mill La. *Brad* —1D **8**
Mill La. *Sto S* —3D **6**
Mill La. *Twy* —4B **26**
Mill La. *Wbrn S* —4D **16**
Mill La. *Wool* —5B **10**
Mill Rd. *Blet* —3C **20**
Mill Rd. *Hus C* —5K **17**
Mill Rd. *L Buz* —3F **25**
Mill Sq. *Wol M* —3H **7**
Millstream Way. *L Buz* —4E **24**
Mill St. *Newp P* —2H **5**
Mill Ter. *Wol M* —2H **7**
Milton Dri. *Newp P* —3J **5**
Milton Gro. *Blet* —3J **19**
Milton Rd. *Wltn* —2E **14**
Milton Rd. *Wil* —1C **10**
Minerva Gdns. *Wav G* —2H **15**
Minshull Clo. *Buck* —3C **26**
Minstrel Ct. *Brad* —1E **8**
Minton Clo. *Blak* —6E **4**
Mitcham Pl. *Bdwl C* —5G **9**
Mithras Gdns. *Wav G* —3H **15**
Mitre Ct. *Buck* —5B **26**
Mitre St. *Buck* —5B **26**
Moeran Clo. *Brow W* —4H **15**
Monellan Gro. *Cald* —6F **15**
(in two parts)
Monkston Roundabout. *Monk*
—6G **11**
Monks Way. *Mil K* —6K **7**
Monro Av. *Crow* —3B **12**
Montagu Dri. *Eag* —1A **14**
Montgomery Clo. *L Buz* —2G **25**
Montgomery Cres. *Bol P* —7F **5**
Moon St. *Wol* —3A **8**
Moorfield. *Newt L* —7G **19**
Moorfoot. *Ful S* —4H **7**
Moorgate. *Lead* —2J **13**
Moorhen Way. *Buck* —4D **26**
Moor Pk. *Blet* —2G **19**
Morar Clo. *L Buz* —4B **24**
Moray Pl. *Blet* —7J **13**
Mordaunts Ct. *Wool* —6B **10**
Morebath Gro. *Furz* —5F **13**
Moreton Dri. *Buck* —1D **26**
Moreton Rd. *Buck* —3C **26**
Morley Cres. *Brow W* —5J **15**
Morrell Clo. *Shen C* —4E **12**
Morrison Ct. *Crow* —3B **12**

Morris Wlk. *Newp P* —3D **4**
Mortain Clo. *Cald* —6G **15**
Mortons Fork. *Blu B* —2C **8**
Mossdale. *Hee* —3E **8**
Mount Av. *Blet* —6C **14**
Mountbatten Gdns. *L Buz*
—2G **25**
Mt. Farm Ind. Est. *Blet* —5B **14**
Mt. Farm Roundabout. *Blet*
—5C **14**
Mounthill Av. *Old S* —1E **6**
Mt. Pleasant. *Asp G* —5G **17**
Mt. Pleasant. *Simp* —5C **14**
Mt. Pleasant Clo. *Buck* —5B **26**
Mountsfield Clo. *Newp P* —4G **5**
Mount, The. *Asp G* —5E **16**
Mount, The. *Simp* —5D **14**
Mowbray Dri. *L Buz* —4C **24**
Mozart Clo. *Brow W* —5H **15**
Muddiford La. *Furz* —5G **13**
Muirfield Dri. *Blet* —2G **19**
Mullen Av. *Dow S* —4J **9**
Mullion Pl. *Fish* —7K **9**
Murrey Clo. *Shen L* —4F **13**
Mursley Ct. *Sto S* —3G **7**
Musgrove Pl. *Shen C* —3C **12**
Myrtle Bank. *Sta B* —3A **8**

Nairn Ct. *Blet* —7H **13**
Naisby Dri. *Gt Bri* —1B **22**
Naphill Pl. *Bdwl C* —5F **9**
Napier St. *Blet* —2C **20**
Narrow Path. *Wbrn S* —6C **16**
Naseby Clo. *Newp P* —4E **4**
Naseby Ct. *Brad* —2E **8**
Naseby Ct. *Buck* —2D **26**
Nash Croft. *Tat* —2E **18**
Nathanial Clo. *Shen C* —4E **12**
Neapland. *Bean* —4A **14**
(in two parts)
Neath Cres. *Blet* —7K **13**
Neath Hill Roundabout. *Nea H*
—2K **9**
Nebular Ct. *L Buz* —3H **25**
Nelson Clo. *Crow* —3B **12**
Nelson Ct. *Buck* —4B **26**
Nelson Rd. *L Buz* —2G **25**
Nelson St. *Buck* —4B **26**
Nene Clo. *Newp P* —4H **5**
Nene Dri. *Blet* —2H **19**
Neptune Gdns. *L Buz* —3J **25**
Ness Way. *Blet* —5C **20**
Netherfield Roundabout. *Neth*
—2B **14**
Nether Gro. *Shen B* —6E **12**
Nettlecombe. *Furz* —6F **13**
Nevis Clo. *L Buz* —4B **24**
Nevis Gro. *Blet* —5D **20**
Newark Ct. *Cald* —6F **15**
New Bradwell Roundabout. *Stant*
—7K **3**
Newbridge Oval. *Em V* —6E **12**
Newbury Ct. *Blet* —4G **19**
Newby Pl. *Em V* —7E **12**
Newlands Roundabout. *Wil P*
—3B **10**
Newlyn Pl. *Fish* —6K **9**
Newmans Clo. *Gt Lin* —6C **4**
Newman Way. *L Buz* —4G **25**
Newmarket Ct. *Kgstn* —7H **11**
Newport Rd. *New B* —7G **3**
Newport Rd. *Newp P* —1F **11**
Newport Rd. *Wav* —1J **15**
Newport Rd. *Wil* —1C **10**
Newport Rd. *Wool* —5B **10**

Newport Rd. *Woug G* —7B **10**
New Rd. *Cast* —2B **2**
New Rd. *L Buz* —4D **24**
New St. *Sto S* —3E **6**
Newton Rd. *Blet* —4H **19**
Nicholas Mead. *Gt Lin* —7D **4**
Nielson Ct. *Old Fm* —4J **15**
Nightingale Cres. *Brad* —2D **8**
Nightingale Pl. *Buck* —3D **26**
Nixons Clo. *Lead* —3H **13**
Noble Clo. *Pen* —1K **9**
Norbrek. *Two M* —6B **8**
Normandy Ct. *Blet* —7H **13**
Normandy Way. *Blet* —7H **13**
Norrington. *Two M* —6B **8**
Northampton Rd. *Newp P* —1H **5**
Northampton Rd. *Old S* —1C **6**
Northcourt. *L Buz* —2F **25**
N. Crawley Rd. *Newp P* —4K **5**
Northcroft. *Shen L* —4E **12**
N. Eighth St. *Cen M* —5H **9**
N. Elder Roundabout. *Cen M*
—7F **9**
N. Eleventh St. *Cen M* —5H **9**
Northend Sq. *Buck* —3C **26**
Northfield Dri. *N'fld* —3E **10**
Northfield Roundabout. *Brou*
—3F **11**
N. Fifth St. *Cen M* —6G **9**
N. Fourteenth St. *Cen M* —4J **9**
N. Fourth St. *Cen M* —6F **9**
North Ga. *Blet* —1B **20**
N. Grafton Roundabout. *Cen M*
—6F **9**
North La. *Waltn* —2D **14**
Northleigh. *Furz* —7G **13**
N. Ninth St. *Cen M* —5H **9**
N. Overgate Roundabout. *Cam P*
—3A **10**
North Ridge. *Eag* —1A **14**
North Row. *Cen M* —6F **9**
(in four parts)
N. Saxon Roundabout. *Cen M*
—5G **9**
N. Secklow Roundabout. *Cen M*
—5H **9**
N. Second St. *Cen M* —6F **9**
N. Seventh St. *Cen M* —6G **9**
N. Sixth St. *Cen M* —6G **9**
N. Skeldon Roundabout. *Cam P*
—4K **9**
North Sq. *Newp P* —2H **5**
N. Star Dri. *L Buz* —3H **25**
North St. *Blet* —1B **20**
North St. *Cast* —2B **2**
North St. *L Buz* —4F **25**
North St. *New B* —1D **8**
N. Tenth St. *Cen M* —5H **9**
N. Third St. *Cen M* —6F **9**
N. Thirteenth St. *Cen M* —4J **9**
N. Twelfth St. *Cen M* —5J **9**
North Way. *Dean* —6B **8**
Northwich. *Woug P* —2C **14**
N. Witan Roundabout. *Cen M*
—6F **9**
Norton Leys. *Wav G* —2H **15**
Norton's Pl. *Buck* —4B **26**
Nortons, The. *Cald* —6F **15**
Norwood La. *Newp P* —4G **5**
Nova Lodge. *Em V* —7E **12**
Novello Croft. *Old Fm* —5J **15**
Nursery Gdns. *Bdwl* —4D **8**
Nutmeg Ct. *Wal T* —4G **15**

Oak Bank Dri. *L Buz* —7F **23**

Oaken Head. *Em V* —7F **13**
Oakgrove Roundabout. *MKV*
—7E **10**
Oakhill Clo. *Shen C* —3B **12**
Oakhill Rd. *Shen C* —3C **12**
Oakhill Rd. *Shen W* —5A **12**
Oakhill Roundabout. *Crow*
—4A **12**
Oakley Gdns. *Dow P* —3K **9**
Oakley Grn. *L Buz* —2G **25**
Oakridge. *Furz* —5H **13**
Oaktree Ct. *Wil* —1B **10**
Oakwood Dri. *Blet* —3D **20**
Oatfield Gdns. *L Buz* —4J **25**
Octavian Dri. *Ban* —3C **8**
Odell Clo. *Woug G* —1B **14**
Oldbrook Boulevd. *Oldb* —1H **13**
Old Chapel M. *L Buz* —5F **25**
Olde Bell La. *Loug* —2D **12**
Old Groveway. *Simp* —4C **14**
Old Linslade Rd. *H&R* —7D **22**
Old Rd. *L Buz* —4D **24**
Old Wolverton Rd. *Old W* —1H **7**
Old Wolverton Roundabout.
Old W —1H **7**
Oliver Rd. *Blet* —2B **20**
Omega Ct. *L Buz* —3H **25**
Onslow Ct. *Cald* —5F **15**
Orbison Ct. *Crow* —2A **12**
Orchard Clo. *Blet* —3J **19**
Orchard Clo. *Newt L* —7F **19**
Orchard Dri. *L Buz* —5C **24**
Orford Ct. *Shen C* —3D **12**
Orion Way. *L Buz* —3J **25**
Orkney Clo. *Blet* —7J **13**
Ormonde. *Stant* —1G **9**
Ormsgill Ct. *Hee* —3E **8**
Orne Gdns. *Bol P* —1K **9**
Orpington Gro. *Shen B* —5E **12**
Ortensia Dri. *Wav G* —2H **15**
Orwell Clo. *Newp P* —2D **4**
Osborne St. *Blet* —3B **20**
Osborne St. *Wol* —2A **8**
Osier La. *Shen L* —5E **12**
Osprey Clo. *Eag* —1K **13**
Osprey Wlk. *Buck* —5E **26**
Osterley Clo. *Newp P* —4G **5**
Ostlers La. *Sto S* —2E **6**
Otter Clo. *Blet* —1G **19**
Otters Brook. *Buck* —5D **26**
Ousebank St. *Newp P* —2H **5**
Ousebank Way. *Sto S* —3E **6**
Ouzel Clo. *Blet* —1H **19**
Oval, The. *Oldb* —1H **13**
Overend Clo. *Bdwl* —4D **8**
Overend Grn. La. *L Buz* —4H **23**
Overgate. *Dow S* —3A **10**
(in three parts)
Overn Av. *Buck* —3B **26**
Overn Clo. *Buck* —3C **26**
Overn Cres. *Buck* —3B **26**
Oversley Ct. *Gif P* —6E **4**
Overstreet. *Nea H* —1J **9**
Oville Ct. *Shen C* —4D **12**
Oxendon Ct. *L Buz* —1E **24**
Oxford St. *Blet* —2B **20**
Oxford St. *Sto S* —3E **6**
Oxford St. *Wol* —2A **8**
Oxley Pk. Roundabout. *Shen W*
—6C **12**
Oxman La. *Grnly* —3H **7**
Oxwich Gro. *Tat* —2E **18**

Paddock La. *MKV* —6F **11**
Paddocks, The. *L Buz* —4D **24**

Paddock Way. *Blet* —1C **20**
Padstow Av. *Fish* —7J **9**
Page Hill Av. *Buck* —3D **26**
Page's Ind. Est. *L Buz* —6G **25**
Paggs Ct. *Newp P* —3H **5**
Pagoda Roundabout. *Wil P*
—3B **10**
Palace Sq. *Lead* —2J **13**
Palmer M. *Wbrn S* —5C **16**
Pannier Pl. *Dow B* —3K **9**
Paprika Ct. *Wal T* —4G **15**
Paradise. *Newt L* —6G **19**
Park Av. *Newp P* —3F **5**
Park Clo. *Cosg* —5A **2**
Parker Clo. *Brad* —2D **8**
Park Gdns. *Blet* —1K **19**
Parklands. *Gt Lin* —6B **4**
Park M. *L Buz* —5F **25**
Park Rd. *Sto S* —3E **6**
Parkside. *Furz* —6H **13**
Park View. *Newp P* —3H **5**
Parkway. *Bow B* —7J **15**
Parkway. *Wbrn S* —3B **16**
Parneleys. *MKV* —6E **10**
Parsley Clo. *Wal T* —4G **15**
Parsons Cres. *Shen L* —4F **13**
Partridge Clo. *Buck* —5E **26**
Passalewe La. *Wav G* —2H **15**
Passmore. *Tin B* —2B **14**
Pastern Pl. *Dow B* —3K **9**
Patriot Dri. *Rook* —6E **8**
Pattison Ct. *Wool* —5B **10**
Paxton Cres. *Shen L* —4E **12**
Paynes Dri. *Loug* —1D **12**
Peacock Hay. *Em V* —7F **13**
Pearse Gro. *Wltn P* —5F **15**
Pear Tree La. *Lead* —2J **13**
Pear Tree La. *L Buz* —3F **25**
Peckover Ct. *Gt Hm* —7C **8**
Peebles Pl. *Blet* —6J **13**
Peel Rd. *Wol* —2K **7**
Peers Dri. *Asp G* —6F **17**
Peers La. *Shen C* —3E **12**
Pegasus Rd. *L Buz* —3H **25**
Pelham Pl. *Dow B* —3J **9**
Pelton Ct. *Shen L* —3E **12**
Pencarrow Pl. *Fish* —6J **9**
Pengelly Ct. *Fish* —7K **9**
Penina Clo. *Blet* —1G **19**
Penlee Rise. *Tat* —2E **18**
Penley Way. *L Buz* —6F **25**
Penn Rd. *Blet* —2D **20**
Pennivale Clo. *L Buz* —3F **25**
Pennycress Way. *Newp P* —3D **4**
Pennyroyal. *Wal T* —2G **15**
Penryn Av. *Fish* —7K **9**
Pentewan Ga. *Fish* —6J **9**
Pentlands. *Ful S* —4G **7**
Percheron Pl. *Dow B* —3J **9**
Permayne. *New B* —1D **8**
Perracombe. *Furz* —6H **13**
Perran Av. *Fish* —7K **9**
Perth Clo. *Blet* —7J **13**
Peterborough Ga. *Wil P* —2B **10**
Petermans Wlk. *Nea H* —2J **9**
Petersham Clo. *Newp P* —5G **5**
Pettingrew Clo. *Wal T* —3G **15**
Petworth. *Gt Hm* —1B **12**
Pevensey Clo. *Blet* —3H **19**
Peverel Dri. *Blet* —6K **13**
Phillimore Clo. *Wil P* —1A **10**
Phillip Ct. *Shen C* —3E **12**
Phoebe La. *Wav* —3K **15**
Phoenix Clo. *L Buz* —3J **25**
Phoenix Dri. *Lead* —3J **13**

Pickering Dri. *Em V* —7D **12**
Pightle Cres. *Buck* —2C **26**
Pightle, The. *Maid M* —1D **26**
Pigott Dri. *Shen C* —4D **12**
Pimpernel Gro. *Wal T* —3G **15**
Pinders Croft. *Grnly* —3J **7**
Pine Clo. *L Buz* —1F **25**
Pinecrest M. *L Buz* —5D **24**
Pine Gro. *Wbrn S* —5B **16**
Pineham Roundabout. *N'fld*
—3D **10**
Pinewood Dri. *Blet* —3C **20**
Pinfold. *Wal T* —3G **15**
Pinkard Ct. *Woug G* —1B **14**
Pinkle Hill Rd. *H&R* —5F **23**
Pinkworthy. *Furz* —5G **13**
Pipard. *Gt Lin* —1H **9**
Pipston Grn. *Ken H* —2G **15**
Pitcher La. *Loug* —1E **12**
Pitchford Av. *Buck* —2D **26**
Pitchford Wlk. *Buck* —3D **26**
Pitfield. *Kil F* —5J **7**
Pitt Grn. *Buck* —3E **26**
Plaintain Ct. *Wal T* —3G **15**
Plantation Rd. *L Buz* —6H **25**
Pleshey Clo. *Shen C* —3E **12**
Plover Clo. *Buck* —5D **26**
Plover Clo. *Int P* —4K **5**
Plowman Clo. *Grnly* —3J **7**
Plumstead Av. *Bdwl C* —5G **9**
Plum Tree La. *L Buz* —3E **25**
Pollys Yd. *Newp P* —2H **5**
Polmartin Ct. *Fish* —7K **9**
Polruan Pl. *Fish* —7K **9**
Pomander Cres. *Wal T* —2G **15**
Pond Clo. *Newt L* —7F **19**
Pondgate. *Ken H* —1G **15**
Poplar Clo. *L Buz* —1F **25**
Poplars Rd. *Buck* —4C **26**
Porlock La. *Furz* —5F **13**
Portchester Ct. *Gt Hm* —7C **8**
Porter's Clo. *Dean* —7B **6**
Portfield Clo. *Buck* —4D **26**
Portfields Rd. *Newp P* —3E **4**
Portfield Way. *Buck* —4D **26**
Porthcawl Grn. *Tat* —2F **19**
Porthleven Pl. *Fish* —6K **9**
Porthmellin Clo. *Tat* —2E **18**
Portland Dri. *Wil* —1B **10**
Portmarnock Clo. *Blet* —1F **19**
Portrush Clo. *Blet* —2G **19**
Portway. *Cen M* —6F **9**
Portway. *Shen W* —4A **12**
Portway. *Wil P* —3B **10**
Portway Roundabout. *Cen M*
—7E **8**
Potters La. *Kil F* —4J **7**
Pound Hill. *Gt Bri* —1B **22**
Precedent Dri. *Rook* —6E **8**
Prentice Gro. *Shen B* —6E **12**
Presley Way. *Crow* —2B **12**
Preston Ct. *Wil P* —1A **10**
Prestwick Clo. *Blet* —3G **19**
Primatt Cres. *Shen C* —3E **12**
Primrose Rd. *Bdwl* —4D **8**
Princes Ct. *L Buz* —3E **24**
Princes Way. *Blet* —2B **20**
Princes Way Roundabout. *Blet*
—2A **20**
Priors Pk. *Em V* —7G **13**
Priory Clo. *Newp P* —3J **5**
Priory Ct. *Sto S* —2E **6**
Priory St. *Newp P* —3H **5**
Prospect Pl. *Cast* —2B **2**
Prospect Rd. *Sto S* —3D **6**
Protheroe Croft. *Brow W* —5J **15**

Providence Pl. *Bdwl* —4D **8**
(off Loughton Rd.)
Pulborough Clo. *Blet* —1G **19**
Pulford Rd. *L Buz* —5E **24**
Purbeck. *Stant* —1F **9**
Purcel Dri. *Newp P* —4F **5**
Purwell Wlk. *L Buz* —7G **23**
Putman Ho. *Shen L* —4F **13**
(off Silicon Ct.)
Puxley Rd. *Dean* —6A **6**
Pyke Hayes. *Two M* —5A **8**
Pyxe Ct. *Wltn P* —5F **15**

Quadrans Clo. *Pen* —1K **9**
Quantock Cres. *Em V* —1G **19**
Queen Anne St. *New B* —1C **8**
Queen Eleanor St. *Sto S* —2D **6**
Queens Av. *Newp P* —3G **5**
Queens Ct. *Cen M* —5H **9**
Queen St. *L Buz* —3E **24**
Queen St. *Sto S* —2F **7**
Queensway. *Blet* —2B **20**
(in two parts)
Quilter Meadow. *Old Fm* —4J **15**
Quince Clo. *Wal T* —4G **15**
Quinton Dri. *Bdwl* —5D **8**

Rackstraw Gro. *Old Fm* —4J **15**
Radcliffe St. *Wol* —1A **8**
(in two parts)
Radman Gro. *Grnly* —3J **7**
Radworthy. *Furz* —6F **13**
Railway Wlk. *Gt Lin* —6B **4**
Rainbow Dri. *Lead* —1J **13**
(in two parts)
Rainsborough. *Gif P* —7E **4**
Ramsay Clo. *Bdwl* —5E **8**
(in five parts)
Ramsgill Ct. *Hee* —4F **9**
Ramsons Av. *Conn* —4H **9**
Ramsthorn Gro. *Wal T* —3G **15**
Ranelagh Gdns. *Newp P* —5G **5**
Rangers Ct. *Gt Hm* —7C **8**
Rannoch Clo. *Blet* —5C **20**
Rannock Gdns. *L Buz* —4B **24**
Rashleigh Pl. *Oldb* —2H **13**
Rathbone Clo. *Crow* —2B **12**
Ravensbourne Pl. *Spfld* —6A **10**
Ravigill Pl. *Hod L* —4A **8**
Rawlins Rd. *Bdwl* —4D **8**
Rayleigh Clo. *Shen C* —3E **12**
Reach Grn. *H&R* —4F **23**
Reach La. *H&R* —4G **23**
Rectory Fields. *Wool* —5B **10**
Rectory Rd. *Hav* —5H **3**
Redbourne Ct. *Sto S* —3G **7**
Redbridge. *Stant* —7A **4**
Redbridge Roundabout. *Nea H*
—1H **9**
Redcote Mnr. *Wltn P* —5F **15**
Redding Gro. *Crow* —3B **12**
Red Ho. Clo. *Newt L* —6H **19**
Redhuish Clo. *Furz* —6G **13**
Redland Dri. *Loug* —2E **12**
Redmoor Roundabout. *Bean*
—5A **14**
Redshaw Clo. *Buck* —3D **26**
Redvers Ga. *Bol P* —1A **10**
Redwood Ga. *Shen L* —5F **13**
Redwood Glade. *L Buz* —7E **22**
Reeves Croft. *Hod L* —4K **7**
Regent St. *Blet* —2B **20**
Regent St. *L Buz* —4G **25**
Reliance La. *Spfld* —5A **10**

Rendlesham. *Wool* —5B **10**
Renfrew Way. *Blet* —6J **13**
Rhodes Pl. *Oldb* —1H **13**
Rhondda Clo. *Blet* —1D **20**
Rhoscolyn Dri. *Tat* —2E **18**
Rhuddlan Clo. *Shen C* —2C **12**
Ribble Clo. *Newp P* —3J **5**
Ribble Cres. *Blet* —2G **19**
Richardson Pl. *Oldb* —7H **9**
Richborough. *Ban* —2D **8**
Richmond Clo. *Blet* —1G **19**
Richmond Rd. *L Buz* —5H **25**
Richmond Way. *Newp P* —4G **5**
Rickley La. *Blet* —1J **19**
Rickyard Clo. *Bdwl* —4D **8**
Ridgemont Clo. *Dean* —6A **6**
Ridgeway. *Ful S* —4G **7**
Ridgeway. *Wol M* —3H **7**
Ridgmont. *Dean* —6A **6**
Ridgmont Rd. *Hus C* —5K **17**
Ridgway. *Wbrn S* —3C **16**
Ridgway Rd. *Brog* —1K **17**
Riding, The. *Dean* —6A **6**
Rillington Gdns. *Em V* —6E **12**
Rimsdale Ct. *Blet* —7C **20**
Ring Rd. E. *Wltn* —2E **14**
Ring Rd. N. *Wltn* —2D **14**
Ring Rd. W. *Wltn* —2D **14**
River Clo. *Newp P* —3H **5**
Rivercrest Rd. *Old S* —2C **6**
Riverside. *L Buz* —3F **25**
Riverside. *Newp P* —3H **5**
Rixband Clo. *Wltn P* —5F **15**
Robertson Clo. *Shen C* —2C **12**
Robeson Pl. *Crow* —1B **12**
Robin Clo. *Buck* —5E **26**
Robins Hill. *Cof H* —3K **13**
Robinswood Clo. *L Buz* —1E **24**
Roche Gdns. *Blet* —2K **19**
Rochester Ct. *Shen C* —4D **12**
Rochfords. *Cof H* —2J **13**
Rock Clo. *L Buz* —5C **24**
Rockingham Dri. *Lin W* —2H **9**
(in two parts)
Rock La. *L Buz* —5A **24**
(in two parts)
Rockleigh Ct. *L Buz* —4D **24**
Rockspray Gro. *Wal T* —4G **15**
Rodwell Gdns. *Old Fm* —5J **15**
Roebuck Way. *Know* —3F **13**
Rogers Croft. *Woug G* —2C **14**
Rolvenden Gro. *Ken H* —2G **15**
Romar Ct. *Blet* —7B **14**
Rooksley Roundabout. *Bdwl C*
—5E **8**
Roosevelt Av. *L Buz* —3G **25**
Ropa Ct. *L Buz* —4E **24**
(off Friday St.)
Rosebay Clo. *Wal T* —4G **15**
Rosebery Av. *L Buz* —4D **24**
Rosebery Ct. *L Buz* —4E **24**
Rosecomb Pl. *Shen B* —5D **12**
Rosemary Ct. *Wal T* —4F **15**
Rosemullion Av. *Tat* —2E **18**
(in two parts)
Roslyn Ct. *Wil* —1C **10**
Rossal Pl. *Hod L* —4A **8**
Ross Way. *Blet* —7J **13**
Rothersthorpe. *Gif P* —7E **4**
Rothschild Rd. *L Buz* —3D **24**
Rotten Row. *Gt Bri* —1B **22**
Roveley Ct. *Sto S* —3G **7**
Rowan Dri. *Hav* —5F **3**
Rowlands Clo. *Blet* —2D **20**
Rowle Clo. *Stant* —1G **9**
Rowley Furrows. *L Buz* —3C **24**

Rowsham Dell. *Gif P* —5D **4**
Roxburgh Way. *Blet* —6J **13**
Rubbra Clo. *Brow W* —4H **15**
Rudchesters. *Ban* —3C **8**
Runford Ct. *Shen L* —4F **13**
Runnymede. *Gif P* —6D **4**
Rushleys Clo. *Loug* —1C **12**
Rushmere Clo. *Brow B* —7H **15**
Rushton Ct. *Gt Hm* —1C **12**
Ruskin Ct. *Newp P* —5G **5**
Rusland Cir. *Em V* —7F **13**
Russell St. *Sto S* —3E **6**
Russell St. *Wbrn S* —5C **16**
Russell Way. *L Buz* —4H **25**
Russwell La. *L Bri* —4H **21**
Rutherford Ga. *Shen L* —4F **13**
Ruthven Clo. *Blet* —6B **20**
Rycroft. *Furz* —6H **13**
Rydal Way. *Blet* —4C **20**
Rye Clo. *L Buz* —4J **25**
Ryeland. *Sto S* —2F **7**
Rylstone Clo. *Hee* —5E **8**
Ryton Pl. *Em V* —6F **13**

Saddington. *Woug P* —3C **14**
Saddlers Pl. *Dow B* —3K **9**
Sadleir's Grn. *Wbrn S* —4C **16**
Saffron St. *Blet* —3C **20**
St Aidan's Clo. *Blet* —4H **19**
St Andrew's Av. *Blet* —3H **19**
St Andrews Clo. *L Buz* —3F **25**
St Andrew's St. *L Buz* —4F **25**
St Bees. *Monk* —7G **11**
St Botolphs. *Monk* —7G **11**
St Brides Clo. *Spfld* —6B **10**
St Catherine's Av. *Blet* —4G **19**
St Clements Dri. *Blet* —4G **19**
St David's Rd. *Blet* —4H **19**
St Dunstans. *Cof H* —2K **13**
St Edwards Clo. *Nea H* —1J **9**
St Faith's Clo. *Newt L* —7G **19**
St George's Clo. *L Buz* —3G **25**
St George's Rd. *Blet* —4G **19**
St Georges Way. *Wol* —1A **8**
St Giles M. *Sto S* —2E **6**
St Giles St. *New B* —1C **8**
St Govan's Clo. *Tat* —2E **18**
St James St. *New B* —1C **8**
St Johns Cres. *Wol* —3A **8**
St John's Rd. *Blet* —4G **19**
St John's Ter. *Newp P* —3H **5**
St John St. *Newp P* —3H **5**
St Lawrence View. *Bdwl* —4D **8**
St Leger Ct. *Gt Lin* —7C **4**
St Leger Dri. *Gt Lin* —7B **4**
St Leonard's Clo. *L Buz* —7G **23**
St Margarets Clo. *Newp P* —3J **5**
St Margarets Ct. *Blet* —2D **20**
St Martin's St. *Blet* —2B **20**
St Mary's Av. *Blet* —3H **19**
St Mary's Av. *Sto S* —2F **7**
St Mary's Clo. *Wav* —2K **15**
St Mary St. *New B* —1C **8**
St Mary's Way. *L Buz* —4D **24**
St Matthews Ct. *Blet* —4H **19**
St Michaels Dri. *Wltn* —3E **14**
St Monica's La. *Nea H* —2J **9**
St Patrick's Way. *Blet* —4H **19**
St Pauls Ct. *Sto S* —2E **6**
St Paul's Rd. *Blet* —4G **19**
St Peters Way. *New B* —7J **3**
St Rumbold's La. *Buck* —4B **26**
St Stephens Dri. *Bol P* —1A **10**
St Vincent's. *Wbrn S* —5D **16**
Salden Clo. *Shen C* —3E **12**

Salford Rd. *Asp G* —1D **16**
Salford Rd. *Hul & Brog* —1H **17**
Salisbury Gro. *Gif P* —5D **4**
Salters M. *Nea H* —2J **9**
Salton Link. *Em V* —7E **12**
Samphire Ct. *Wal T* —3F **15**
Sandal Ct. *Shen C* —4D **12**
Sandbrier Clo. *Wal T* —3F **15**
Sanderson Rd. *L Buz* —4H **25**
Sandhills. *L Buz* —2G **25**
Sandhurst Dri. *Buck* —5B **26**
Sandown Ct. *Blet* —4G **19**
Sandringham Ct. *Newp P* —4F **5**
Sandringham Pl. *Blet* —2B **20**
Sandwell Ct. *Two M* —6K **7**
Sandy Clo. *Buck* —4E **26**
Sandy Clo. *Gt Lin* —7B **4**
Sandy La. *L Buz* —7E **22**
Sandy La. *Wbrn S* —7C **16**
Sandywell Dri. *Dow P* —2K **9**
San Remo Rd. *Asp G* —5G **17**
Santen Gro. *Blet* —6C **20**
Saturn Clo. *L Buz* —3J **25**
Saunders Clo. *Wav* —3J **15**
Sawpit La. *Gt Bri* —7H **21**
Saxon Ga. *Cen M* —5G **9**
Saxons Clo. *L Buz* —4H **25**
Saxon St. *Fish* —7J **9**
Saxon St. *Lin W* —7A **4**
Scardale. *Hee* —3E **8**
Scatterill Clo. *Bdwl* —4D **8**
School Dri. *Newt L* —7F **19**
School La. *Buck* —4B **26**
School La. *Cast* —2B **2**
School La. *Hus C* —4J **17**
School La. *Loug* —1E **12**
School St. *New B* —1C **8**
Schumann Clo. *Brow W* —5H **15**
Scotch Firs. *Wav G* —3H **15**
Scotney Gdns. *Blet* —2H **19**
Scott Dri. *Newp P* —2E **4**
Scotts Farm Clo. *Maid M* —1D **26**
Scotts La. *Maid M* —1D **26**
Scriven Ct. *Wil* —1C **10**
Seagrave Ct. *Wltn* —5F **15**
Secklow Ga. *Cen M* —5H **9**
Second Av. *Blet* —7B **14**
Sedgemere. *Two M* —7A **8**
Selbourne Av. *Blet* —3J **19**
Selby Gro. *Shen C* —4D **12**
Seldon Ga. *Cam P* —4K **9**
Selkirk Gro. *Blet* —7J **13**
Selworthy. *Furz* —6G **13**
Serjeants Grn. *Nea H* —2J **9**
Serles Clo. *Cof H* —3K **13**
Serpentine Ct. *Blet* —5C **20**
Severn Dri. *Newp P* —3H **5**
Severn Wlk. *L Buz* —7G **23**
(in three parts)
Severn Way. *Blet* —1G **19**
Shackleton Pl. *Oldb* —7H **9**
Shaftesbury Cres. *Blet* —1K **19**
Shakespeare Clo. *Newp P* —2E **4**
Shamrock Clo. *Wal T* —3G **15**
Shannon Ct. *Dow B* —2K **9**
Sharman Wlk. *Bdwl* —5D **8**
Shaw Clo. *Newp P* —2E **4**
Shearmans. *Ful S* —4H **7**
Sheelin Gro. *Blet* —6C **20**
Sheepcoat Clo. *Shen C* —4D **12**
Sheepcote Cres. *H&R* —5F **23**
Sheldon Ct. *Gt Hm* —7C **8**
Shelley Clo. *Newp P* —3F **5**
Shelley Dri. *Blet* —3J **19**
Shelsmore. *Gif P* —7E **4**

Shenley Clo. *L Buz* —7G **23**
Shenley Hill Rd. *L Buz* —7G **23**
Shenley Pavilions. *Shen W* —4D **12**
Shenley Rd. *Blet* —1H **19**
Shenley Rd. *Kgsmd* —2A **18**
Shenley Rd. *Shen C* —3D **12**
Shenley Roundabout. *Shen L* —4D **12**
Shepherds. *Ful S* —4H **7**
Shepherds Mead. *L Buz* —2F **25**
Sheppards Clo. *Newp P* —3G **5**
Shepperds Grn. *Shen C* —3C **12**
Shepperton Clo. *Cast* —2A **2**
Sherbourne Dri. *Tilb* —6G **15**
Sherington Rd. *Newp P* —2H **5**
Shernfold. *Ken H* —2G **15**
Sherwood Dri. *Blet* —7A **14**
Shilling Clo. *Pen* —1K **9**
Shipley Rd. *Newp P* —3E **4**
Shipman Ct. *Wil P* —1A **10**
Ship Rd. *L Buz* —5D **24**
Shipton Hill. *Brad* —2E **8**
Shire Ct. *Dow B* —3K **9**
Shirley Moor. *Ken H* —1G **15**
Shirwell Cres. *Furz* —4G **13**
Shorham Rise. *Two M* —6B **8**
Shouler Clo. *Shen C* —4D **12**
Shuttleworth Gro. *Wav G* —3J **15**
Sidlaw Ct. *Ful S* —4G **7**
Silbury Arc. *Cen M* —6H **9**
Silbury Boulevd. *Cen M* —7F **9**
Silbury Roundabout. *Cen M* —7F **9**
Silicon Ct. *Shen L* —4F **13**
Silverbirches La. *Wbrn S* —7B **16**
Silver St. *Newp P* —3H **5**
Silver St. *Sto S* —3E **6**
Silverweed Ct. *Wal T* —4G **15**
Simnel. *Bean* —3A **14**
Simonsbath. *Furz* —7G **13**
Simons Lea. *Bdwl* —4E **8**
Simpson. *Simp* —4D **14**
Simpson Dri. *Simp* —4D **14**
Simpson Rd. *Mil K* —4D **14**
Simpson Roundabout. *Tin B* —4C **14**
Sinclair Ct. *Blet* —6K **13**
Sipthorp Clo. *Wav G* —3H **15**
Sitwell Clo. *Newp P* —2D **4**
Skeats Wharf. *Pen* —1K **9**
Skeldon Roundabout. *Cam P* —4K **9**
Skene Clo. *Blet* —6B **20**
Skipton Clo. *Wil P* —2B **10**
Slade La. *Ful S* —4G **7**
Slade, The. *Newt L* —7G **19**
Slated Row. *Old W* —1J **7**
Smabridge Wlk. *Wil* —1C **10**
Small Cres. *Buck* —4E **26**
Smarden Bell. *Ken H* —1G **15**
Smeaton Clo. *Blak* —5E **4**
Smithergill Ct. *Hee* —4F **9**
Smithsons Pl. *Spfld* —5A **10**
Snaith Cres. *Loug* —3E **12**
Snelshall St. *Kgsmd* —2C **18**
Snowberry Clo. *Sta B* —3A **8**
Snowdon Dri. *Wint* —1G **13**
Snowshill Ct. *Gif P* —5D **4**
Sokeman Clo. *Grnly* —3H **7**
Solar Ct. *Gt Lin* —6C **4**
Somerset Clo. *Blet* —1J **19**
Sorrell Dri. *Newp P* —3D **4**
Soskin Dri. *Stant F* —2F **9**

Soulbury Rd. *L Buz* —3B **24**
Southall. *Maid M* —1D **26**
Southbridge Gro. *Ken H* —2F **15**
Southcott Village. *L Buz* —5C **24**
Southcourt Av. *L Buz* —5C **24**
Southcourt Rd. *L Buz* —4C **24**
S. Eighth St. *Cen M* —6H **9**
S. Elder Roundabout. *Cen M* —1F **13**
S. Enmore Roundabout. *Cam P* —5A **10**
Southern Way. *Wol* —3A **8**
Southfield Clo. *Wil* —1C **10**
S. Fifth St. *Cen M* —7H **9**
S. Fourth St. *Cen M* —7G **9**
S. Grafton Roundabout. *Cen M* —1G **13**
S. Lawne. *Blet* —2J **19**
S. Ninth St. *Cen M* —6J **9**
S. Overgate Roundabout. *Cam P* —5A **10**
South Row. *Cen M* —7H **9**
(in two parts)
S. Saxon Roundabout. *Cen M* —7H **9**
S. Secklow Roundabout. *Cen M* —6J **9**
S. Second St. *Cen M* —7G **9**
S. Seventh St. *Cen M* —7H **9**
S. Sixth St. *Cen M* —7H **9**
South St. *Cast* —2B **2**
South St. *L Buz* —4G **25**
S. Tenth St. *Cen M* —6J **9**
South Ter. *Blet* —2B **20**
Southwick Ct. *Gt Hm* —1C **12**
S. Witan Roundabout. *Cen M* —7H **9**
Sovereign Dri. *Pen* —1K **9**
Spark Way. *Newp P* —2D **4**
Sparsholt Clo. *Em V* —7F **13**
Spearmint Clo. *Wal T* —4G **15**
Specklands. *Loug* —1D **12**
Speedwell Pl. *Conn* —4H **9**
Speldhurst Ct. *Ken H* —2G **15**
Spencer. *Stant* —7A **4**
Spencer St. *New B* —1C **8**
Spenlows Rd. *Blet* —6K **13**
Spinney La. *Asp G* —5F **17**
Spinney, The. *Bdwl* —4D **8**
Spoonley Wood. *Ban P* —3B **8**
Springfield Boulevd. *Spfld* —6A **10**
Springfield Ct. *L Buz* —4D **24**
(off Springfield Rd.)
Springfield Ct. *Spfld* —6A **10**
(off Ravensbourne Pl.)
Springfield Gdns. *Dean* —7B **6**
Springfield Rd. *L Buz* —4C **24**
Springfield Roundabout. *Cen M* —6K **9**
Spring Gdns. *Newp P* —3G **5**
Spring Gro. *Wbrn S* —4C **16**
Springside. *L Buz* —4D **24**
Square, The. *Asp G* —5F **17**
Square, The. *Wol* —2A **8**
Squires Clo. *Cof H* —3K **13**
Squirrels Way. *Buck* —5D **26**
Stables, The. *Hav* —4H **3**
Stable Yd. *Dow B* —3K **9**
Stacey Av. *Wol* —2A **8**
Stacey Bushes Roundabout. *Sta B* —4B **8**
Stafford Gro. *Shen C* —3E **12**
Stainton Dri. *Hee* —4F **9**
Stamford Av. *Spfld* —7A **10**
Stanbridge Ct. *Sto S* —3G **7**

Stanbridge Rd. *L Buz* —5G **25**
Stanbridge Rd. Ter. *L Buz*
  —5G **25**
Standing Way. *Mil K* —4B **18**
Stanier Sq. *Blet* —2B **20**
Stanmore Gdns. *Newp P* —5F **5**
Stanton Av. *Brad* —2D **8**
Stantonbury Clo. *New B* —7J **3**
Stantonbury Roundabout. *Stant F*
  —2F **9**
Stanton Ga. *Stant* —7B **4**
Stanton Wood Roundabout. *Conn*
  —4G **9**
Stanway Clo. *Dow P* —2A **10**
Staple Hall Rd. *Blet* —1C **20**
Staters Pound. *Pen* —1K **9**
Statham Pl. *Oldb* —1J **13**
Station App. *L Buz* —5D **24**
Station Rd. *Bow B* —7G **15**
Station Rd. *Buck* —5B **26**
Station Rd. *Cast* —2A **2**
Station Rd. *L Buz* —4D **24**
Station Rd. *Newp P* —3G **5**
Station Rd. *Ridg* —2K **17**
Station Rd. *Wbrn S* —4C **16**
Station Sq. *Cen M* —7F **9**
Station Ter. *Buck* —5B **26**
Station Ter. *Gt Lin* —6D **7**
Stavordale. *Monk* —7F **11**
Stayning La. *Nea H* —3J **9**
Stephenson Clo. *L Buz* —5D **24**
Steppingstone Pl. *L Buz* —5G **25**
Stevens Field. *Wav G* —3J **15**
Stile, The. *H&R* —5F **23**
Stirling Clo. *Pen* —2K **9**
Stirling Ho. Blet —3G **19**
  (off Chester Clo.)
Stockdale. *Hee* —3F **9**
Stocks, The. *Cosg* —5A **2**
Stockwell La. *Wav* —1J **15**
Stoke La. *Gt Bri* —1B **22**
Stokenchurch Pl. *Bdwl C* —4F **9**
Stoke Rd. *Blet* —4C **20**
Stoke Rd. *L Buz* —2C **24**
Stoke Rd. *Newt L* —7H **19**
Stonebridge Roundabout. *Stone*
  —7G **3**
Stonecrop Pl. *Conn* —4H **9**
Stonegate. *Ban* —3D **8**
Stone Hill. *Two M* —7A **8**
Stonor Ct. *Gt Hm* —1C **12**
Stotfold Ct. *Sto S* —4F **7**
Stour Clo. *Blet* —2H **19**
Stour Clo. *Newp P* —4J **5**
Stowe Av. *Buck* —1A **26**
Stowe Clo. *Buck* —3B **26**
Stowe Ct. *Stant* —7A **4**
Stowe Rise. *Buck* —3B **26**
Strangford Dri. *Blet* —6B **20**
Stratfield Ct. *Gt Hm* —7C **8**
Stratford Arc. *Sto S* —2E **6**
Stratford Ho. *Sto S* —3D **6**
Stratford Rd. *Buck* —3D **26**
Stratford Rd. *Cosg* —6A **2**
Stratford Rd. *Wol M* —2G **7**
Strathnaver Pl. *Hod L* —4A **8**
Strauss Gro. *Brow W* —5H **15**
Streatham Pl. *Bdwl C* —6F **9**
Strudwick Dri. *Oldb* —1J **13**
Stuart Clo. *Blet* —1C **20**
Studley Knapp. *Wal T* —3G **15**
Sturges Clo. *Wltn P* —4F **15**
Suffolk Clo. *Blet* —1J **19**
Sulgrave Ct. *Gt Hm* —1C **12**
Sullivan Cres. *Brow W* —4H **15**
Summergill Ct. *Hee* —3F **9**

Summerhayes. *Gt Lin* —1J **9**
  (in three parts)
Summerson Rd. *Ble H* —4J **13**
Summer St. *L Buz* —4G **25**
Sumner Ct. *Loug* —1D **12**
Sunbury Clo. *Brad* —2D **8**
Sunningdale Way. *Blet* —2F **19**
Sunridge Clo. *Newp P* —4G **5**
Sunrise Parkway. *Lin W* —2H **9**
Sunset Clo. *Blet* —3B **20**
Sunset Wlk. *Cen M* —6H **9**
  (off Silbury Boulevd.)
Surrey Pl. *Blet* —7J **13**
Surrey Rd. *Blet* —7J **13**
Sussex Rd. *Blet* —1J **19**
Sutcliffe Av. *Oldb* —7H **9**
Sutherland Gro. *Blet* —7J **13**
Sutleye Ct. *Shen C* —4D **12**
Sutton Ct. *Em V* —1F **19**
Swallow Clo. *Buck* —5D **26**
Swallowfield. *Gt Hm* —7B **8**
Swan Clo. *Buck* —5D **26**
Swan Ter. *Sto S* —3E **6**
Sweetlands Corner. *Ken H*
  —1G **15**
Swift Clo. *Newp P* —2E **4**
Swimbridge La. *Furz* —5G **13**
Swinden Ct. *Hee* —4E **8**
Swinfens Yd. *Sto S* —3E **6**
Sycamore Av. *Blet* —2D **20**
Sycamore Clo. *Buck* —5E **26**
Sylvester St. *H&R* —5F **23**
Symington Ct. *Shen L* —4E **12**
Syon Gdns. *Newp P* —5G **5**

Tabard Gdns. *Newp P* —5G **5**
Tadmarton. *Dow P* —2K **9**
Tadmere. *Two M* —7A **8**
Talbot Ct. *L Buz* —3F **25**
Talbot Ct. *Wool* —7B **10**
Talland Av. *Fish* —7J **9**
Tallis La. *Brow W* —4H **15**
Tamar Ho. *Blet* —1H **19**
Tamarisk Ct. *Wal T* —4G **15**
Tamar Wlk. *L Buz* —7G **23**
Tamworth Stubb. *Wal T* —4F **15**
  (in two parts)
Tandra. *Bean* —4A **14**
  (in five parts)
Tanners Dri. *Blak* —5E **4**
Tansman La. *Old Fm* —4J **15**
Taranis Clo. *Wav G* —2H **15**
Tarbert Clo. *Blet* —5B **20**
Tarnbrook Clo. *Em V* —7E **12**
Tarragon Clo. *Wal T* —3F **15**
Tatling Gro. *Wal T* —3F **15**
Tattam Clo. *Wool* —6B **10**
Tattenhoe La. *Blet* —2G **19**
Tattenhoe Roundabout. *Tat*
  —3D **18**
Tattenhoe St. *Mil K* —4A **12**
Tattershall Clo. *Shen C* —3D **12**
Taunton Deane. *Em V* —1G **19**
Tavelhurst. *Two M* —7B **8**
Taverner Clo. *Old Fm* —4J **15**
Tavistock Clo. *Wbrn S* —3B **16**
Tavistock Rd. *Blet* —1B **20**
Taylors M. *Nea H* —2J **9**
Taylor's Ride. *L Buz* —1E **24**
Taymouth Pl. *Spfld* —5A **10**
Tay Rd. *Blet* —1H **19**
Teasel Av. *Conn* —3H **9**
Tees Way. *Blet* —1G **19**
Teign Clo. *Newp P* —3H **5**
Telford Way. *Blak* —6F **5**

Temperance Ter. *Sto S* —2D **6**
Temple. *Stant* —1F **9**
Temple Clo. *Blet* —3G **19**
Temple Clo. *Buck* —2D **26**
Tene Acres. *Shen C* —3C **12**
Tennyson Dri. *Newp P* —3E **4**
Tennyson Gro. *Blet* —3J **19**
Tenterden Cres. *Nea H* —2G **15**
Thames Clo. *Blet* —2H **19**
Thames Dri. *Newp P* —4J **5**
Thane Ct. *Stant* —1F **9**
Theydon Av. *Wbrn S* —5C **16**
Third Av. *Blet* —1A **20**
Thirlby La. *Shen C* —3D **12**
Thirlmere Av. *Blet* —4C **20**
Thirsk Gdns. *Blet* —4F **19**
Thomas Dri. *Newp P* —1E **4**
Thomas St. *H&R* —5F **23**
Thompson St. *New B* —7J **3**
Thorncliffe. *Two M* —7A **8**
Thorneycroft La. *Dow P* —2A **10**
Thornley Croft. *Em V* —7F **13**
Thorwold Pl. *Loug* —3E **12**
Thresher Gro. *Grnly* —3H **7**
Thrift Rd. *H&R* —5F **23**
Thrupp Clo. *Cast* —1C **2**
Thurne Clo. *Newp P* —4J **5**
Thursby Clo. *Wil* —1C **10**
Ticehurst Clo. *Ken H* —2G **15**
Tickford Arc. *Newp P* —3H **5**
Tickford St. *Newp P* —3H **5**
Tidbury Clo. *Wbrn S* —5B **16**
Tiffany Clo. *Blet* —4C **20**
Tilbrook Ind. Est. *Tilb* —6G **15**
Tilbrook Roundabout. *Cald*
  —7G **15**
Tilers Rd. *Kil F* —6J **7**
Tillman Clo. *Grnly* —3K **7**
Timberscombe. *Furz* —6G **13**
Timbold Dri. *Ken H* —2E **14**
Timor Ct. *Blet* —2E **6**
Tindall Av. *L Buz* —2G **25**
Tingewick Rd. *Buck* —4A **26**
Tintagel Clo. *Fish* —1K **13**
Tippet Clo. *Brow W* —5J **15**
Titchmarsh Ct. *Oldb* —1H **13**
Tolcarne Av. *Fish* —7K **9**
Tompkins Clo. *Shen B* —6E **12**
Tongwell La. *Newp P* —5G **5**
Tongwell Roundabout. *Tong*
  —7H **5**
Tongwell St. *Mil K* —7H **5**
Top Angel. *Buck* —7C **26**
Top Meadow. *Cald* —6G **15**
Torre Clo. *Blet* —7K **13**
  (in two parts)
Torridon Ct. *Blet* —6C **20**
Towan Av. *Fish* —1K **13**
Towcester Rd. *Maid M* —1D **26**
Towcester Rd. *Old S* —1C **6**
Tower Cres. *Nea H* —2J **9**
Tower Dri. *Nea H* —2H **9**
Townsend Gro. *New B* —7K **3**
Trafalgar Av. *Blet* —7H **13**
Tranlands Brigg. *Hee* —4E **8**
Travell Ct. *Bdwl* —5E **8**
Treborough. *Furz* —7G **13**
Tredington Gro. *Cald* —5G **15**
Tremayne Ct. *Fish* —1K **13**
Trent Dri. *Newp P* —4H **5**
Trentishoe Cres. *Furz* —6G **13**
Trent Rd. *Blet* —2H **19**
Tresham Ct. *Loug* —2D **12**
Trevithick La. *Shen L* —4E **12**
Trevone Ct. *Fish* —1K **13**
Trinity Rd. *Old W* —1J **7**

Trispen Ct. *Fish* —7K **9**
Troutbeck. *Pear B* —1B **14**
Trubys Garden. *Cof H* —2K **13**
Trueman Pl. *Oldb* —1J **13**
Trumpton La. *Wav G* —2H **15**
Trunk Furlong. *Asp G* —3E **16**
Trunk Furlong Est. *Asp G*
  —3E **16**
Tudeley Hale. *Ken H* —1G **15**
Tudor Ct. *L Buz* —4E **24**
Tudor Gdns. *Sto S* —4F **7**
Tuffnell Clo. *Wil* —1D **10**
Tulla Ct. *Blet* —6B **20**
Tummel Way. *Blet* —5B **20**
Tunbridge Gro. *Ken H* —1F **15**
Turnberry Clo. *Blet* —3F **19**
Turners M. *Nea H* —2J **9**
Turneys Dri. *Wol M* —2H **7**
Turnmill Av. *Spfld* —6A **10**
Turnmill Ct. *Spfld* —6A **10**
Turnpike Rd. *Hus C* —7H **17**
Turpyn Ct. *Woug G* —1C **14**
Tweed Dri. *Blet* —1G **19**
Twinflower. *Wal T* —3G **15**
Twitchen La. *Furz* —6G **13**
Twyford La. *Wal T* —4H **15**
Tyburn Av. *Spfld* —6A **10**
Tylers Grn. *Bdwl C* —5G **9**
Tyne Sq. *Blet* —1G **19**
Tyrell Clo. *Buck* —5B **26**
Tyrill. *Stant* —1F **9**
Tyson Pl. *Oldb* —1H **13**

Ullswater Dri. *L Buz* —4B **24**
Ulverscroft. *Monk* —6F **11**
Ulyett Pl. *Oldb* —1H **13**
Underwood Pl. *Oldb* —1H **13**
Union St. *Newp P* —3H **5**
Up. Coombe. *L Buz* —3D **24**
Up. Fifth St. *Cen M* —6G **9**
Up. Fourth St. *Cen M* —6G **9**
Up. Second St. *Cen M* —7F **9**
Up. Stonehayes. *Gt Lin* —7D **4**
Up. Third St. *Cen M* —7G **9**
Upper Way. *Gt Bri* —1B **22**
Upton Gro. *Shen L* —5F **13**

Vache La. *Shen C* —3C **12**
Valens Clo. *Crow* —2B **12**
Valentine Ct. *Crow* —2B **12**
Valley Hill Roundabout. *Ful S*
  —4G **7**
Valley Rd. *Buck* —4E **26**
Van Der Bilt Ct. *Blu B* —2C **8**
Vandyke Clo. *Wbrn S* —3C **16**
Vandyke Rd. *L Buz* —4G **25**
Vantage Ct. *Newp P* —4K **5**
Vauxhall. *Brad* —2E **8**
Vellan Av. *Fish* —7K **9**
Venables La. *Bol P* —1K **9**
Venitian Ct. *Wav G* —2H **15**
Verdi Clo. *Old Fm* —4J **15**
Verdon Dri. *Wil P* —1A **10**
Verity Pl. *Oldb* —7J **9**
Verley Clo. *Woug G* —1B **14**
Vermont Pl. *Tong* —6G **5**
Verney Clo. *Buck* —4C **26**
Veryan Pl. *Fish* —7K **9**
Vicarage Gdns. *Bdwl* —4D **8**
Vicarage Gdns. *L Buz* —5D **24**
Vicarage Rd. *Blet* —2C **20**
Vicarage Rd. *Bdwl* —4D **8**
Vicarage Rd. *L Buz* —5D **24**
Vicarage Rd. *Sto S* —2E **6**

Vicarage St. *Wbrn S* —5D **16**
Vicarage Wlk. *Sto S* —2E **6**
Victoria Rd. *Blet* —2C **20**
Victoria Rd. *L Buz* —5D **24**
Victoria St. *Wol* —2A **8**
Victoria Ter. *Lee* —4J **25**
Vienna Gro. *Blu B* —2B **8**
Villiers Clo. *Buck* —2D **26**
Vimy Rd. *L Buz* —4E **24**
Vincent Av. *Crow* —1B **12**
Vintners M. *Nea H* —2J **9**
Virginia. *Cof H* —2K **13**
Viscount Way. *Blet* —1B **20**
Vyne Cvn. Pk., The. *L Buz*
—6H **25**
Vyne Cres. *Gt Hm* —7C **8**

Wadesmill La. *Cald* —5F **15**
(in three parts)
Wadhurst La. *Ken H* —1G **15**
Wagner Clo. *Brow W* —5H **15**
Wainers Croft. *Grnly* —4J **7**
Wakefield Clo. *Nea H* —1J **9**
Walbrook Av. *Spfld* —5A **10**
Walgrave Dri. *Bdwl* —5D **8**
Walkhampton Av. *Bdwl C* —5E **8**
Wallace St. *New B* —1B **8**
Wallinger Dri. *Shen B* —6D **12**
Wallingford. *Brad* —3E **8**
Wallmead Gdns. *Loug* —2E **12**
Walnut Clo. *Newp P* —4E **4**
Walnut Dri. *Blet* —2D **20**
Walnut Dri. *Maid M* —1D **26**
Walnuts, The. *L Buz* —1F **25**
Walnut Tree Roundabout. *Ken H*
—2G **15**
Walsh's Mnr. *Stant* —1G **9**
Walton Dri. *Wltn* —3E **14**
Walton End. *Wav G* —3H **15**
Walton Heath. *Blet* —2G **19**
Walton Pk. Roundabout. *Tilb*
—5G **15**
Walton Rd. *Cald* —6G **15**
Walton Rd. *MKV* —6E **10**
Walton Rd. *Waltn* —3F **15**
Walton Rd. *Wav* —3J **15**
Walton Roundabout. *Ken H*
—3F **15**
Wandlebury. *Gif P* —7E **4**
Wandsworth Pl. *Bdwl C* —5G **9**
Wardle Pl. *Oldb* —1G **13**
Ward Rd. *Blet* —6D **14**
Wardstone End. *Em V* —7E **12**
Warmington Gdns. *Dow P*
—3A **10**
Warners Clo. *Gt Bri* —1B **22**
Warners Rd. *Newt L* —7G **19**
Warren Bank. *Simp* —4D **14**
Warren Clo. *Buck* —5D **26**
Warren Yd. *Wol M* —2H **7**
Warwick Pl. *Blet* —3H **19**
Warwick Rd. *Blet* —3H **19**
Washfield. *Furz* —6G **13**
Wastel. *Bean* —4A **14**
(in three parts)
Watchcroft Dri. *Buck* —2D **26**
Watchet Ct. *Furz* —6G **13**
Waterdell. *L Buz* —4H **25**
Water Eaton Rd. *Blet* —3A **20**
Waterhouse Clo. *Newp P* —3H **5**
Water La. *L Buz* —4E **24**
Waterloo Ct. *Blet* —7H **13**

Waterloo Rd. *L Buz* —5D **24**
Waterlow Clo. *Newp P* —5G **5**
Waterside. *Pear B* —1B **14**
Watersmeet Clo. *Furz* —5G **13**
Watling St. *Mil K* —4G **7**
Watling Ter. *Blet* —1D **20**
Watlow Gdns. *Buck* —2D **26**
Watten Ct. *Blet* —6D **20**
Wavell Ct. *Bol P* —1A **10**
Wavendon Fields. *Wav* —3A **16**
Wavendon Ho. Dri. *Wav* —1C **16**
Waveney Clo. *Newp P* —4J **5**
Wealdstone Pl. *Spfld* —6K **9**
Weasel La. *Newt L & Blet*
—5D **18**
Weathercock Clo. *Wbrn S*
—4C **16**
Weathercock La. *Wbrn S*
—4C **16**
Weavers Hill. *Ful S* —4H **7**
Webber Heath. *Old Fm* —5J **15**
Wedgewood Av. *Blak* —6E **4**
(in three parts)
Welland Dri. *Newp P* —4J **5**
Welland Ho. *Blet* —2H **19**
Wellfield Ct. *Wil* —7H **5**
Wellhayes. *Gt Lin* —7D **4**
Wellington Pl. *Blet* —3A **20**
Wellmore. *Maid M* —1E **26**
Well St. *Buck* —4C **26**
Wenning La. *Em V* —7E **12**
Wentworth Dri. *L Buz* —3F **25**
Wentworth Way. *Blet* —3F **19**
Werth Dri. *Wbrn S* —7C **16**
Westbourne Ct. *Brad* —2D **8**
Westbrook End. *Newt L* —7F **19**
Westbury Clo. *Newp P* —3F **5**
Westbury La. *Newp P* —2E **4**
Westcliffe. *Two M* —6K **7**
Westcroft Roundabout. *Wcrft*
—7D **12**
West Dales. *Hee* —3F **9**
Western Av. *Buck* —3B **26**
Western Rd. *Blet* —1B **20**
Western Rd. *Wol* —2K **7**
Westfield Av. *Dean* —6A **6**
Westfield Rd. *Blet* —2B **20**
Westfields. *Buck* —4A **26**
West Hill. *Asp G* —5E **16**
Westhill. *Stant* —7B **4**
Westminster Dri. *Blet* —1J **19**
Weston Av. *L Buz* —6H **25**
West Rd. *Wbrn S* —4C **16**
Westside. *L Buz* —4F **25**
(off Doggett St.)
West St. *Buck* —3B **26**
West St. *L Buz* —4E **24**
Westwood Clo. *Gt Hm* —1B **12**
(in three parts)
Wetherby Gdns. *Blet* —4G **19**
Whaddon Rd. *Kgsmd* —2B **18**
Whaddon Rd. *Newp P* —4F **5**
Whaddon Rd. *Newt L* —4B **18**
Whaddon Rd. *Shen B* —6C **12**
Whaddon Way. *Blet* —3G **19**
Whalley Dri. *Blet* —6K **13**
Wharf La. *Old S* —1D **6**
Wharfside. *Blet* —2D **20**
Wharfside Pl. *Buck* —3D **26**
Wharf View. *Buck* —3D **26**
Wheatcroft Clo. *Bean* —4K **13**
Wheatfield Clo. *L Buz* —4J **25**
Wheatley Clo. *Em V* —7F **13**

Wheelers La. *Brad* —2D **8**
Wheelwrights M. *Nea H* —2J **9**
Whetstone Clo. *Hee* —4E **8**
Whichford. *Gif P* —6E **4**
Whitby Clo. *Blet* —7J **13**
White Alder. *Sta B* —3B **8**
Whitebaker Ct. *Nea H* —2J **9**
Whitegate Cross. *Neth* —3A **14**
Whitehall Av. *Kgstn* —7J **11**
White Horse Dri. *Em V* —7F **13**
Whitehorse Yd. Sto S —3E **6**
(off High St. Stony Stratford)
White Ho. Ct. *L Buz* —4F **25**
Whiteley Cres. *Blet* —4H **19**
(in two parts)
Whitethorns. *Newp P* —4F **5**
Whitsun Pasture. *Wil P* —1A **10**
Whitton Way. *Newp P* —4G **5**
Whitworth La. *Loug* —1E **12**
Wicken Rd. *Dean* —7A **6**
Wildacre Rd. *Shen W* —4C **12**
Wilford Clo. *Wool* —6B **10**
Willen La. *Gt Lin* —7D **4**
Willen Pk. Av. *Wil P* —1A **10**
Willen Rd. *MKV* —5E **10**
Willen Rd. *Newp P* —4H **5**
Willen Rd. *Wil* —2C **10**
Willen Roundabout. *Wil P*
—1A **10**
Willets Rise. *Shen C* —4D **12**
Willey Ct. *Sto S* —4G **7**
Williams Circ. *Wltn P* —5F **15**
William Smith Clo. *Wool* —5B **10**
William Sutton Ho. *Shen C*
—3D **12**
Willow Bank Wlk. *L Buz* —3H **25**
Willow Dri. *Buck* —5E **26**
Willowford. *Ban P* —3B **8**
Willow Gro. *Old S* —2C **6**
Willow Way. *Blet* —3B **20**
Wilmin Gro. *Loug* —2E **12**
Wilsley Pound. *Ken H* —1G **15**
Wilson Ct. *Crow* —1B **12**
Wilton Av. *Blet* —2A **19**
Wimbledon Pl. *Bdwl C* —5F **9**
Wimblington Dri. *Redm* —5K **13**
Wimborne Cres. *Wcrft* —7C **12**
Wincanton Hill. *Blet* —4F **19**
Winchester Circ. *Kgstn* —7G **11**
Windermere Dri. *Blet* —5C **20**
Windermere Gdns. *L Buz*
—4B **24**
Windmill Clo. *Buck* —3E **26**
Windmill Hill Dri. *Blet* —3F **19**
Windmill Hill Roundabout. *Em V*
—1F **19**
Windmill Path. *L Buz* —4F **25**
Windsor Av. *L Buz* —4E **24**
Windsor Av. *Newp P* —3G **5**
Windsor St. *Blet* —3B **20**
Windsor St. *Wol* —1K **7**
Wingate Circ. *Wltn P* —5F **15**
Wing Rd. *L Buz* —7A **24**
Winsford Hill. *Furz* —6H **13**
Winstanley La. *Shen L* —5F **13**
Winston Clo. *L Buz* —2F **25**
(in two parts)
Winterburn. *Hee* —3E **8**
Wisewood Rd. *Shen W* —5A **12**
Wisley Av. *Bdwl C* —5F **9**
Wistmans. *Furz* —5G **13**
Witan Ga. *Cen M* —6G **9**
Witham Ct. *Blet* —1G **19**

Withington. *Brad* —3D **8**
Withycombe. *Furz* —6H **13**
Wittmills Oak. *Buck* —3D **26**
Woad La. *Gt Lin* —7C **4**
Woburn Av. *Wol* —2K **7**
Woburn La. *Asp G* —6F **17**
Woburn Pl. *L Buz* —2F **25**
(in two parts)
Woburn Rd. *H&R & Mil B*
—4F **23**
Woburn Rd. *Wbrn S* —6D **16**
Woburn Sands Rd. *Bow B*
—7J **15**
Wodehouse Wlk. *Newp P* —2E **4**
Wolfscote La. *Em V* —6E **12**
Wolsey Gdns. *Bdwl* —4D **8**
Wolverton Rd. *Cast* —2C **2**
Wolverton Rd. *Hav* —6F **3**
Wolverton Rd. *Stant & Newp P*
—7A **4**
Wolverton Rd. *Sto S* —3E **6**
Woodhouse Ct. *Stant F* —2G **9**
Woodland Av. *L Buz* —1E **24**
Woodland Clo. *H&R* —5F **23**
Woodlands Clo. *Buck* —2C **26**
Woodlands Cres. *Buck* —2C **26**
Woodland View. *Wol* —3A **8**
Woodland Way. *Wbrn S* —6C **16**
Wood La. *Asp G* —6E **16**
Wood La. *Gt Lin* —4G **9**
(in three parts)
Woodley Headland. *Pear B*
—2B **14**
Woodman Clo. *L Buz* —4G **25**
(in four parts)
Woodmans Clo. *Dean* —7B **6**
Woodruff Av. *Conn* —4G **9**
Woodrush Clo. *Bean* —5A **14**
Woodside. *Asp G* —5E **16**
Woodside. *Sto S* —2F **7**
Woodside Way. *L Buz* —5C **24**
Woodstock Ct. *Brad* —1E **8**
Wood St. *New B* —1C **8**
Wood St. *Wbrn S* —5C **16**
Wood, The. *L Buz* —3F **25**
Woolmans. *Ful S* —4H **7**
Woolrich Gdns. *Sto S* —3F **7**
Woolstone Roundabout. *Wool*
—4C **10**
Worcester Clo. *Newp P* —3E **4**
Wordsworth Av. *Newp P* —2D **4**
Wordsworth Dri. *Blet* —3K **19**
Worrelle Av. *MKV* —5F **11**
Wren Clo. *Buck* —5E **26**
Wye Clo. *Blet* —1H **19**
Wyness Av. *L Bri* —5K **21**
Wyngates. *L Buz* —6D **24**
Wynyard Ct. *Oldb* —2H **13**

Yalts Brow. *Em V* —7E **12**
Yardley Rd. *Cosg* —5A **2**
Yarrow Pl. *Conn* —4H **9**
Yeats Clo. *Newp P* —2D **4**
Yeomans Dri. *Blak* —7E **4**
Yeomans Roundabout. *Blak*
—7E **4**
Yew Tree Clo. *Newt L* —7F **19**
Yonder Slade. *Buck* —6C **26**
York Rd. *Sto S* —3E **6**
Youngs Ind. Est. *L Buz* —5J **25**

STREETS IN MILTON KEYNES LISTED BY THEIR
HORIZONTAL OR VERTICAL PREFIX

H1 Ridgeway. —4G **7**
H2 Millers Way. —5H **7**
H3 Monks Way. —6K **7**
H4 Dansteed Way. —2A **12**
H5 Portway. —4A **12**
H6 Childs Way. —7B **12**
H7 Chaffron Way. —2B **18**
H8 Standing Way. —4B **18**
H9 Groveway. —5A **14**
H10 Bletcham Way. —7A **14**

V1 Snelshall St. —1B **18**
V2 Tattenhoe St. —4A **12**
V3 Fulmer St. —2A **12**
V4 Watling St. —4G **7**
V5 Gt. Monks St. —2H **7**
V6 Grafton Ga. —6F **9**
V6 Grafton St. —7G **3**
V7 Saxon Ga. —5G **9**
V7 Saxon St. —7A **4**
V8 Marlborough St. —7A **4**
V9 Overstreet. —1J **9**
V10 Brickhill St. —5D **4**
V11 Tongwell St. —7H **5**